D0326985

La France insolite

Mise en pages : Vincent-Pierre Angouillant
Secrétaire d'édition : Catherine Pelché

123, boulevard de Grenelle, Paris
www.franceloisirs.com
ISBN : 2-7441-4404-5
N° Éditeur : 34576
Dépôt légal : février 2001

FRANCK CHAUVET

La France insolite

Cent lieux connus & méconnus à découvrir

Éditions
France Loisirs

PRÉAMBULE

*L*E VOYAGE *est l'une des grandes joies de notre existence. Aujourd'hui, ce goût pour l'ailleurs a inspiré une vaste machinerie à l'industrie du tourisme. La planète est quadrillée, les réclames débitent les pays en tranches et nous ne croyons pas avoir voyagé, si nous n'avons franchi au moins deux océans et trois massifs montagneux. Nous comparons les annonces des agences en estimant la quantité de soleil qu'elles nous proposent et l'économie d'une centaine de francs qu'elle nous fera réaliser sur sa concurrente. Serait-il devenu impossible de voyager autrement ? Reprenons les sentiers négligés, ils sont quelquefois tout proches de nous, attendant notre curiosité, notre enthousiasme pour nous accueillir, et ouvrir devant nos pas une grande voie taillée dans les blocs de l'histoire et de la géographie. Ce livre recense pour vous quelques-uns de ces sentiers. Ils sont tous contenus, à l'exception d'un seul, dans les limites des frontières de la France, leur attrait ne consistant* *pas dans leur éloignement, mais dans la surprise, l'émerveillement, qu'ils réservent aux curieux qui feront le déplacement. En parcourant les pages qui suivent, ne vous étonnez pas d'y trouver beaucoup de lieux qu'aucun tapage publicitaire n'a encore signalés. Inconnus des circuits touristiques, ils sont à ce titre souvent ouverts gratuitement au public. Pourtant, les critères ayant servi à sélectionner ces sites sont rien moins que sévères. Tous, ils devaient être exceptionnels d'une façon ou d'une autre. Certains sont ouverts depuis des milliers d'années, comme Filitosa, la vallée des Merveilles, que nos premiers ancêtres ont légué à notre mémoire. D'autres, la nature s'est chargée de les construire, pour les confier à notre soif de beauté, comme le cirque de Gavarnie, le golfe de Porto, la chaîne des Puys, le gouffre de Padirac, qui sont des sites mondialement classés. Certains, arrachés au passé récent, dans les sillons de l'histoire de France, sont nos villes et villages, que l'époque moderne n'a pas défigurés. À Locronan, à Villefranche, à Apremont, à Cordes, vous remonterez mille ans d'histoire, jusqu'au Moyen Âge. Classés au répertoire des villes historiques, ils ont plus que quelques ruelles conservées à vous offrir. Ils constituent des ensembles uniques d'architecture que rien n'est venu enlaidir. Plantées dans un vallon, dans un parc, au coin d'une rue, la maison de Honoré de Balzac, celles d'Anatole France, d'Alexandre Dumas seront comme autant de stations, témoignant à chaque fois d'une vie entière. Ici, ces hommes ont eu des fièvres et des amours. Ils ont écrit ou peint, élevé leurs enfants, reçu leurs amis, ont souffert, se sont ruinés, et finalement se sont éteints, entre ces murs, parmi ces meubles qui en conservent le souvenir. Et puis, il y a les jardins, qui hésitent entre le grandiose et l'intime, entre le panorama et l'itinéraire sensuel. Celui des Cinq Sens, celui de Cordes, celui de la Bambouseraie, une forêt de bambous de plusieurs hectares en plein Languedoc, celui d'Effiat, doté de la plus longue terrasse de France.*

Enfin, à la rubrique Sites insolites, vous trouverez les descriptions et adresses d'endroits plus incroyables encore. La maison Vaisselle cassée, la grotte Magique, l'Église verte, le jardin coquillage, le Paradis, la Fabuloserie. Autant de lieux forgés par des hommes, des solitaires souvent, des marginaux parfois, des esprits fantasques toujours. Possédés de poésie et d'imaginaire, bâtissant leur cathédrale de l'absurde, une vie durant, avec leurs seules mains et de pauvres matériaux récupérés autour d'eux. Fabriquant des manèges, donnant vie à des monstres, des statues, des animaux, des êtres hybrides, issus de leurs rêves et de leurs cauchemars, sculptant la pierre nue des falaises, ou des cavernes, hissant leur quotidien à la hauteur de leur idéal. Des chimères de glaise, de ferrailles, de ciment, façonnées durant trente ans, et laissées là, pour nous, par ces hommes, qu'on peut remercier ici aujourd'hui d'avoir été aussi fous et tenaces. Rendons-leur une visite.

F. C.

Carte de France des lieux insolites

Site historique

Site insolite

Chapelle Sixtine
L'Église verte
Rothéneuf
Maison à vaisselle cassée
Désert de Retz
Paris
Maison de Dumas
Locronan
Maison Picassiette
L'église du Graal
La grotte magique
Carnac
Parc de la préhistoire
Thorée-les-Pins
Musée Joseph Desnais
Maison d'Anatole France
Parc de Maulévrier
Maison de Balzac

Jardin fantastique

Jardin d'Effiat
Le village sculpté
Chaudes-Aigues
La Chaîne des Puys
Jardin de Cordes
Padirac
Conques
Cordes

Ville d'époque

Ronceveaux
Cirque de Gavarnie
Montségur

Paysage grandiose

Maison célèbre

Musée de la Forêt

Jardin Coquillage

Riquewihr
et Hunawihr

Musée Alfred Melkes

Village
Préludien

La Fabuloserie

La Santa-Maria

Cardoland

Apremont-sur-Allier

Le jardin
des Cinq Sens

Forteresse hantée

Golfe
de Porto

Filitosa

Pérouges

Le Puy
en Velay

La Bastie d'Urfé

Le Palais idéal
du facteur Cheval

Le Jardin
de Nous-deux

Musée de l'insolite

Le petit musée
du Bizarre

Tarascon

La Fontaine
de Vaucluse

Saint-Guilhem-
le-Désert

Le Paradis

La
Bambouseraie

Vallée des Merveilles

Route de la corniche

Villefranche-de-Conflent

Monde souterrain

SITE HISTORIQUE

L'église du Graal

MORBIHAN

On le sait, les hommes voués à Dieu sont de grands bâtisseurs. Dans cette perspective, l'abbé Henri Gillard (1901-1979), nommé recteur de Trehorentec en 1942, entreprendra de restaurer sa petite église isolée au milieu de la forêt de Brocéliande. Une œuvre qui l'occupera durant plus de dix ans. L'orientation qu'il va donner aux motif décoratifs de son église a beaucoup à voir avec la forêt qui l'abrite.

La forêt de Brocéliande joue un grand rôle dans le cycle du Roi Arthur, qui est venu se réfugier là, et y vivra pendant son exil. L'esprit visionnaire de l'abbé le poussera à exploiter l'épopée des Chevaliers de la table ronde. Il s'inspire tout naturellement des amours de Merlin et de Viviane, de la quête du Graal pour décorer son église, qui peu à peu devient un sanctuaire de l'imaginaire celte. L'abbé Gillard fait réaliser des vitraux, dont le plus beau a pour thème l'apparition du saint Graal : le roi Arthur et ses preux chevaliers sont rassemblés, l'ambiance est sereine, au-dessus d'eux apparaît le vase sacré, soutenu par deux anges. La tradition angélique rejoint la tradition celtique. À l'entrée, une mosaïque évoque un des épisodes du cycle. Le Christ est représenté par un cerf blanc portant un collier et une croix sur le cœur, symbole de compassion. Il est entouré de quatre lions symbolisant les quatre évangélistes, Luc, Matthieu, Jean et Marc. Durant l'été 1945, l'abbé se fait aider par des prisonniers de guerre allemands, un peintre et un ébéniste. Ils réalisent un chemin de croix dans l'église, ainsi qu'une série de tableaux, dont certains, de très bel aspect, nous transportent dans le Val sans retour et à la cour du roi Judicael.

Cette façon d'aborder l'Évangile rapproche deux traditions que l'isolement géographique tend à éloigner. Une telle union sacrée ne pouvait se réussir qu'en terre de Bretagne.

56430 Mauron
église de Trehorentec
Forêt de Paimpont, à 35 km de Rennes

SITE INSOLITE

Carnac

MORBIHAN

Autour du golfe du Morbihan se dresse le plus fantastique alignement mégalithique du monde. 3000 pierres encore debout sur près de 10000 qui formaient l'ensemble originel, le temps et les hommes en ayant détruit le plus grand nombre. Le village de Carnac est un lieu sans équivalent. Son nom signifie «lieu des camps», *carn* étant un mot celtique désignant un amoncellement de pierres.

Les alignements de Carnac sont formés de menhirs isolés, mais aussi de tumulus de pierres plates, de dolmens, de cromlechs, c'est-

Les alignements du Ménec, avant que ceux-ci ne soient protégés par un grillage, car certains touristes n'hésitaient pas à pique-niquer sur les pierres plates...

à-dire de monuments en forme de cercle. L'ensemble s'étendait sur 8 kilomètres, dans un alignement joignant Sainte-Barbe à la rivière de Crach : il en subsiste aujourd'hui une portion de 3 kilomètres. On peut encore distinguer trois alignements nettement dessinés : un cromlech en demi-cercle ouvre celui de Ménec, au nord du village de Carnac. Là, répartis sur 11 rangées s'élèvent 1 169 menhirs, d'une hauteur variable de 1 à 4 mètres. L'alignement de Ménec fait 1 170 mètres de long. 300 mètres plus loin, celui de Kermario comprend 10 rangées pour un total de 1 029 menhirs, courant sur 1 120 mètres. Leur hauteur s'élève jusqu'à 7 mètres. Le troisième alignement, celui de Kerlescan, se trouve 400 mètres plus loin. 13 files de 880 mètres de long regroupent 594 menhirs, hauts de 4 mètres. Il est précédé d'un cromlech en demi-cercle. Le site de Carnac montre encore le grand tumulus de Saint-Michel, long de 120 mètres et haut de 12, à l'intérieur duquel se trouvent plusieurs chambres funéraires. La datation des pierres est assez délicate, car il faut se méfier de l'érosion et des ajouts postérieurs comme les sculptures, dont il est difficile de dire si elles sont l'œuvre du peuple qui a érigé les menhirs, ou de leurs successeurs. On estime toutefois que les monuments de Carnac ont été élevés par plusieurs générations, qui se sont succédé entre le IVe et le IIIe millénaire avant notre ère. Quelles étaient les raisons de ces dispositions ? Menhirs et dolmens avaient en tout cas des fonctions différentes. Le dolmen est une sépulture. On trouve presque systématiquement des tombes creusées à ses pieds. Le menhir est un édifice commémoratif ou votif.

À la fin du XIXe, on remarquera les correspondances entre les structures des ensembles mégalithiques et les positions du soleil à certaines périodes de l'année. Dans les alignements, les menhirs sont placés par ordre décroissant et chaque série forme un angle précis avec la précédente. Les théories relatives à une utilisation calendaire et astronomique sont renforcées par le fait que de nombreux menhirs isolés sont percés d'un trou, qui a pu être un repère de visée. Orientés vers le lever de soleil à l'équinoxe et au solstice d'été, les menhirs pourraient avoir servi à la fois de repères pour les cycles agricoles, et d'observatoire céleste. Partant du constat que les calendriers primitifs sont semi-lunaires, le professeur A. Thom a même (presque) démontré que Carnac serait un observatoire du satellite terrestre.

Le grand menhir de Locmariaquer en apporte un début de preuve. Haut de 23 mètres, il serait l'élément central d'un grand dispositif destiné à prévoir les éclipses, ce qui n'a rien d'impossible, étant donné l'exceptionnelle clarté du ciel breton par beau temps. Plusieurs menhirs, éloignés de 10 à 15 kilomètres forment des points d'axe pour l'observateur.

Ces menhirs, comme celui de Quiberon, se trouvent en tout cas correspondre, par leur emplacement, à des phases lunaires précises. L'ensemble du système constituerait ainsi un instrument d'observation étalé sur plusieurs kilomètres.

56000 Carnac
Alignements de Kermario
à 100 km de Rennes

SITE INSOLITE

Les rochers sculptés de Rothéneuf

ILLE-ET-VILAINE

C'est un simple curé de campagne, Adolphe Julien Fouéré qui, au siècle dernier, immortalisera, dans les rochers de la côte bretonne, la terrible histoire des Rothéneuf, une tribu de corsaires du milieu du XVIe siècle. Cinq gueules de pirates gardent l'entrée de ce sanctuaire de plus de trois cents statues, réparties sur une falaise de 600 mètres. Au centre, le fondateur de la dysnastie : M. de Rothéneuf, au pied duquel dorment des monstres marins. Et tout au long de la pierre, des trognes de vieux loups de mer, de ceux qui attaquaient ces navires à voiles blanches, chargés de rhum, d'épices, de denrées rares, d'or et de minerais rapportés des Amériques. Tous les membres et amis de la famille sont là : Jean des Caulnes dit l'Égyptien, le Séducteur, le Fakir, le Guetteur, veillant sur le fanion des contrebandiers, le Démon, avec sa gueule pleine de ruse et de méchanceté. Corsaires, pêcheurs, contrebandiers, bêtes marines fabuleuses, femmes aux charmes exquis, les figures sorties du burin de l'abbé Fouéré forment un décor que la roche déchiquetée et les vagues batailleuses rendent encore plus impressionnant. L'abbé a travaillé vingt-cinq ans à son grand œuvre. Il voulait montrer à travers l'histoire des Rothéneuf, les dégâts que les vices causent dans le cœur de l'homme. Et puis, emporté par le travail, il n'a plus quitté la falaise, gravant du matin au soir dans le rude granit. Aujourd'hui, l'érosion du vent et de l'écume attaque lentement ces têtes fabuleuses. Mais cette fresque de pierre reste l'une des grandes œuvres singulières du XXe siècle.

Chemin des Rochers sculptés
Rhothéneuf, 35400 Saint-Malo

SAVONNERIE
DE
BRETAGNE

VILLE D'ÉPOQUE

Locronan

FINISTÈRE

Loc en breton (du latin *locus*) désigne un lieu sacré. Ronan est un saint d'origine irlandaise. Il serait venu en Bretagne au XIe siècle par vocation contemplative. Après une vie d'errance sur la côte bretonne, il meurt à Hillion (près de Saint-Brieuc). Les comtes de Vannes, Rennes et Cornouailles se disputent la faveur de lui donner une sépulture. Pour les départager on laissera des bœufs tirer où ils le voudront la dépouille mortelle. Le convoi s'oriente vers Trobalo, possession du comte de Cornouailles, qui en fait immédiatement don. Sur la tombe de Ronan, les miracles se multiplient et vont bientôt donner lieu à un culte, la Troménie, une procession rituelle. Le rituel attire les foules et Locronan est érigé. Encore au début du siècle, quarante mille personnes y assistèrent.
À partir du XVIe siècle, la ville se développe grâce à l'industrie de la voile. La toile tissée de Locronan est de grande qualité et tient le premier rang. Les marines anglaise et espagnole se fournissent à Locronan pour leurs bateaux.Ce commerce permet à la ville de tenir durant les guerres de Louis XIV. Durant la Révolution, Locronan résiste mal à la concurrence de Rennes, et au Second Empire, la ville ne recense plus que 25 tisserands pour 700 habitants. La ferme volonté de la ville de maintenir son identité fera barrage à la pauvreté qui s'installe.

Aujourd'hui, Locronan compte 600 habitants, qui vivent dans des maisons soigneusement restaurées et profitent de l'une des plus belles places de France : la place de l'Église (Monuments historiques). Les demeures qui la bordent lui composent un écrin de granit formidable. Les cinéastes sont nombreux à avoir utilisé comme décor cet ensemble unique. En 1979, pour son film *Tess d'Uberville*, Roman Polanski financera une partie des restaurations. Locronan est un joyau de granit parmi les beaux villages de France.

SITE INSOLITE

L'église verte

CÔTES-D'ARMOR

Homme de la campagne né près de Guingamp, René Raoult est un mystique authentique. Né de père chiffonnier, il a connu une rude enfance, déjà occupée à la sculpture sur bois. Devenu adulte, il s'est senti investi d'une mission : fonder un lieu sacré. Un jour, il trouve un châtaignier allongé dans les fougères. C'est le Christ. Il le récupère et finit le travail commencé par le hasard. Il retourne ensuite dans les bois y chercher les arbres qui deviendront les piliers de son église. Le temple que René Raoult s'apprête à bâtir ne sera pas de pierre, il sera vert, couleur de l'herbe, et taillé dans le bois mis à sa disposition par les forêts. Ce qu'il crée, c'est un jardin vert peuplé de statues géantes qui évoquent tout à la fois les temples totémiques des Indiens d'Amérique du Nord et les créatures d'une autre inspirée, Suzanne Wenger, qui a installé ses créations dans les bois sacrés d'Oshogbo, au Nigeria. Cette église verte est ainsi constituée de 19 statues disposées en arc de cercle, mesurant 6 m de haut. Elles représentent les piliers de l'édifice et portent chacune le nom d'une divinité chrétienne ou païenne : le Christ, la Lune, les Sages, la Mère, l'Univers, le Père, le Soleil, le Diable vaincu. Au pied des statues gisent 18 blocs de granit ornés de dessins symbolisant les quatre éléments. Il faut voir ce spectacle monumental pour comprendre comment un homme peut être porté par une passion qui conjugue la vie solitaire et le mysticisme, le tout exprimé dans un engagement actif de tout l'individu. On ressent de l'étonnement et aussi du respect, face à un tel déploiement d'énergie et de conviction. L'église est également, sur le seul plan esthétique, une création de toute beauté.

22580 Pléhédel
La Chapelle Saint-Michel
à 5 km de Plouha

SITE INSOLITE

Parc de la préhistoire

MORBIHAN

Passionné d'anthropologie, Albert Ross a longtemps couru après son rêve. En s'installant dans les anciennes carrières d'ardoise de Malansac, parsemées d'étonnants lacs aux eaux bleues, il a trouvé le site où concrétiser un souhait remontant à sa jeunesse. Aidé de sa femme, il y a reconstitué l'évolution de l'homme depuis la lointaine période de son apparition, jusqu'au mégalithique, soit un résumé d'histoire courant de 450 000 à 20 000 ans avant notre ère. Le parc illustre la vie précaire des premiers hommes à l'aide d'une quarantaine de personnages réalisés dans le respect des travaux archéologiques les plus récents.

Quelque trente tableaux nous montrent, dans leur habitat et leur habillement, les hommes de l'époque se livrant à leurs occupations quotidiennes. Le parcours se fait le long d'un sentier boisé, où nous retrouvons nos ancêtres. Mesurant 1,30 m environ, les voici avec leur face encore simiesque, leur chevelure abondante, s'occupant à ranimer un feu, soufflant à genoux dans les braises rougeoyantes. Suit une scène d'inhumation, le mort reposant sur un lit de fougères. Plus loin, en voilà un attaquant un renne à l'aide d'un pic. Celui-ci se constitue une tente recouverte de peaux de bêtes. Ici on prépare une fête pour le retour des chasseurs, prélude à un festin attendu. La scène maîtresse du parc reste celle du transport de menhir et de son élévation. Saisissante apparition des hommes du néolithique.

L'habileté d'Albert Ross est d'avoir su aménager son parc de façon à nous réserver une très forte émotion, en provoquant pour nous une rencontre avec ceux que nous devons bien appeler nos lointains parents.

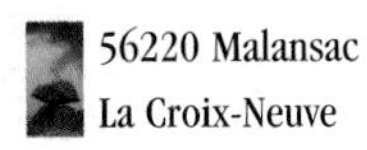

56220 Malansac
La Croix-Neuve

SITE INSOLITE

La grotte magique

MORBIHAN

C'est dans les profondeurs de la forêt du Quénécan, que Réon, un Tchèque peintre et prophète, a choisi de se retirer depuis les années 1970, et d'y fonder son utopie. Le pays de ses rêves, appelé Argondia, il l'a bâti sur les ruines d'un hameau désert. Pour accéder à ce royaume de l'imaginaire, il faut monter le long chemin crevé d'ornières et battu par un vent poussiéreux. Le chemin débouche sur une vaste clairière. Les maisons en bois qu'on y découvre font alors songer à un camp de chercheurs d'or, mais d'or fantastique, non le vil métal des pionniers de l'Ouest. Les habitations sont affublées de têtes diaboliques et malicieuses qui vous dévisagent et vous défient d'avancer plus loin. Ceux qui l'osent rejoignent la grotte magique. Celle-ci est plantée au centre de la vallée. Sur ses murs, des dizaines de tableaux représentent des scènes hallucinées. Des dieux cornus enlacent des femmes dévêtues, se baignant dans de sombres marécages.

Il se dégage de l'ensemble une atmosphère de sabbat où règnent les couleurs rouge, vert et mauve. « Entrez sans contrainte au pays d'Argondia, mes tableaux sont des fenêtres qui donnent sur mes terres intérieures, mes légendes », prévient Réon. Ce décor de film d'horreur italien, vaguement gothique, ne ferait peur à personne, mais la visite de la grotte magique est néanmoins intéressante. La tentative de Réon, de créer un lieu voué au culte du démon, si elle n'est guère convaincante, vous procurera le même frisson amusé qu'un film d'horreur d'Hollywood.

56480 Sainte-Brigitte
Moulin du Corbeau, forêt de Quénécan
à 30 km de Pontivy

SITE INSOLITE

La Maison à vaisselle cassée

EURE

Émule de Picassiette, Robert Vasseur l'est certainement. Sa maison féerique est une belle fantaisie, sans en être une imitation. Cet ancien ramasseur de lait, ayant vécu à Louviers, a repris la même technique de récupération de vaisselle, de coquillages, de débris jugés inutiles par la plupart d'entre nous, qui deviennent des matériaux expressifs dans les mains d'un homme imaginatif. Il a commencé en 1952. « J'avais un évier en ciment affreusement laid, explique-t-il. Un jour j'ai cassé une assiette et, avec les débris, j'ai eu l'idée d'en décorer les parois. J'ai continué et orné ainsi tous les murs de la cuisine, les buffet, les façades de la maison, et même le jardin. » Un geste qui suit une idée, et voilà comment débute une passion aux proportions démesurées. « Comme je n'avais pas toujours le temps de fouiller les décharges, je me suis mis en cheville avec un gars de l'entretien de la ville, qui me mettait de côté toute la vaisselle et la porcelaine abandonnées dans les poubelles. » Au milieu des stèles du jardin, des phares et des animaux, une fontaine avec automates, un kiosque oriental surmonté d'un couple de cigognes, une soute à charbon, une réserve à bois, mais aussi des cadrans solaires, des collages, des dessins, des moulins, tout cela orné d'une myriade de fragments colorés rutilant au moindre rayon de soleil. Robert Vasseur a poursuivi toute sa vie l'ornementation de son royaume : sa modestie était aussi grande que son talent.

27400 Louviers
80, rue du Bal-Champêtre

SITE INSOLITE

La chapelle Sixtine

Eure

C'est avec beaucoup d'humour qu'Irial Vets a toujours prétendu être la réincarnation de Michel-Ange. Pour nous en apporter la preuve, il a reconstitué, à l'intérieur de la petite chapelle normande de Saint-Vincent-la-Rivière, le plafond et les fresques murales de la chapelle Sixtine, cet ensemble éblouissant peint et décoré entre autres, dans le palais du Vatican par le génie de la Renaissance. Un curieux idéal de passion anime cet homme, qui fut peintre et restaurateur. Il explique ainsi sa motivation : « Un jour, j'ai vu dans le journal : église à vendre. Je la visite. Le toit était abîmé et les voûtes délabrées. Je l'achète et tout de suite je décide de faire la chapelle Sixtine. Une inspiration divine. J'ai mis trois hivers pour la peindre. » Pour réaliser son œuvre, il va s'aider d'une reportage photographique paru dans

Paris Match. Jugeant cela insuffisant, il effectue plusieurs voyages à Rome. Il prend des croquis, note les couleurs, les proportions, avec le désir de reproduire le plus fidèlement possible l'original. Le résultat, malgré quelques approximations, est une étonnante copie à la manière des « chefs-d'œuvre de l'art » de la fresque de Michel-Ange. Il restitue la fraîcheur des couleurs, l'habileté d'exécution des scènes bibliques. L'impression qui domine, lorsqu'on visite l'église normande, tient de la surprise et de l'étonnement pur.

Défilent sous nos yeux « l'Ivresse de Noé », « le Déluge », « la Création ». Au centre de l'église, le gisant de l'artiste, destiné à le recevoir à sa mort. Il est orné de six caissons décrivant les étapes de sa vie de dandy, d'amoureux des arts ; la couronne mortuaire y ajoute un trait d'humour : « à moi-même ». « J'avais une chapelle de pape, je me suis fait un tombeau de roi », commente-t-il. Michel-Ange, cinq siècles auparavant, s'attendait-il à pareil hommage artistique ?

Église Saint-Vincent-la-Rivière
Eure, entre Broglie et Courteilles

Picardie

JARDIN FANTASTIQUE

Le jardin coquillage

AISNE

Immigré russe venu en France dans les années 1930, Bodan Litnanski a pratiqué tous les métiers : faiseur de bagues, cordonnier et maçon. Son chef-d'œuvre reste son jardin de coquillages, peuplé d'arches surmontées de jouets et d'objets trouvés dans les carrières de l'Aisne.

Après la Seconde Guerre mondiale, il doit faire face à une pauvreté pénible, c'est un véritable défi pour nourrir et loger sa famille. Grâce à un labeur acharné, il réussit à trouver un logement à Viry-Noureuil, une maison qu'il pourra même acheter quelques années plus tard. Il restaure ses murs délabrés avec beaucoup de patience. Le goût de la décoration est déjà très prononcé chez lui, puisqu'il ne se contente pas d'une restauration sommaire et recouvre les murs de faïence. Mais à la fin des années

1980, lassé de voir ses murs souillés par la pollution, il construit un mur de coquillages. Il continuera à augmenter l'ornementation, accumulant des centaines d'objets trouvés lors de fouilles : poupées, bouteilles, animaux en plastique, télévisions, appareils ménagers. Ce forçat de la récupération consacre des journées entières à parcourir des kilomètres, juché sur sa mobylette.

Excursions dont il rapporte ses éléments. Chaque construction répond à un rituel précis. Au départ, entre les fleurs et les légumes du jardin, il creuse des fondations, profondes de deux mètres. Puis il plante des barres de fer, qu'il enrobe de ciment. Ensuite, il enchâsse les rebuts décoratifs. L'ensemble délimite un long labyrinthe parcouru de piliers aux couleurs vives, d'où surgissent des bras de poupées, des têtes d'animaux, donnant un semblant de vie à cet univers de métal, de plastique. Élaborant ainsi un musée représentatif de notre société de consommation.

15, rue Jean-Jaurès
Vitry-Noureuil
02300 Chauny

SITE INSOLITE

Cabinet Sainte-Geneviève

Paris

À partir du XVIe siècle l'exploration des terres inconnues des Amériques, des îles du Pacifique, de l'Asie va favoriser l'esprit de collection. Savants et hommes fortunés vont assembler ce qui leur semble le plus étrange : pierres curieuses, oiseaux, coquillages, vêtements, plantes rares, statuettes, monnaies, vases, momies... La forme la plus aboutie de ces collections est le cabinet de curiosités. Microcosme abrégé du monde, on y accumule les productions de l'homme, dites *artificialia*, et celles de la nature, dites *naturalia*, représentant les trois règnes minéral, végétal et animal.

Les collections sont à la mode à cette époque. On mélange sans esprit de rangement les peaux de crocodile et les bronzes antiques, les vases étrusques et les cornes de licorne, que d'habiles contrefacteurs fabriquent à partir de cornes d'animaux réels et vendent aux crédules. Le cabinet de curiosités participe du prestige de son propriétaire, chaque pays d'Europe s'efforçant de posséder le plus magnifiquement fourni. Celui de la bibliothèque de l'abbaye de Sainte-Geneviève est d'une rare richesse.

Le père Claude du Molinet en est le fondateur. Nommé à la tête de la bibliothèque Sainte-Geneviève en 1675, il décide de lui adjoindre « un cabinet de pièces rares et curieuses qui pussent servir aux belles-lettres, aux sciences, aux mathématiques, à l'astronomie et surtout à l'histoire antique et moderne ». Le père Molinet est lui-même collectionneur. Il profitera de son réseau de relations pour enrichir sans cesse le cabinet de Sainte-Geneviève. En 1670, l'antiquaire du roi lui offre les fameuses médailles padouanes, l'une des merveilles du cabinet. En 1671, une partie des antiquités de la collection d'Achille de Harlay, l'une des plus importantes d'Europe, entre à Sainte-Geneviève : main panthée, clef de fontaine, miroir étrusque...

Le père Molinet, au cours des ans, réussit des acquisitions remarquables : tableaux, émaux, reliquaires. Entre 1675 et 1685, ce sont les fameuses pierres gravées de la collection Chaduc: intailles et camées de toute beauté ; onyx, jaspes, lapis, améthystes, cornalines, amulettes, talismans magiques et astronomiques. C'est donc un ensemble exceptionnel que Molinet laisse à l'abbaye, à sa mort en 1687.

Le trésor constitué ne restera pas intact. Des redistributions des collections sont régulièrement décidées. En 1793, les 7 000 monnaies romaines et les 6 000 médailles antiques du cabinet sont attribuées à la Bibliothèque nationale. Au cours des XIXe et XXe siècles, une grande partie des collections du cabinet est partagée entre les musées nationaux de France. Le dépouillement auquel il est soumis ne réussira pas à le vider de ses trésors. Mais sa réputation tombe dans l'oubli et encore aujourd'hui, le cabinet de curiosités de Sainte-Geneviève reste injustement méconnu. Son catalogue contient pourtant des merveilles invisibles ailleurs, dont on peut citer les plus insolites. Parmi les *naturalia*, on trouve des exemplaires naturalisés d'oiseaux de paradis, un oiseau ayant suscité bien des légendes. À l'époque on croyait qu'il vivait de rosée, était sans pieds et sans ailes, mais pourvu d'immenses plumes lui permettant de voler les jours de grand vent. Les mâles auraient un creux dans le dos, dans lequel les femelles feraient leurs œufs. Visible aussi, la tortue de Pingre, seul exemplaire d'une espèce aujourd'hui disparue.

Parmi les *artificialia*, le portrait de la Mauresse. Une toile représentant une jeune femme noire, portant l'habit des bénédictines. Entrée au couvent en 1728, elle reçut la visite de membres de la cour. Une sollicitude qui fut interprétée comme la preuve de sa naissance royale, les bruits de salon en faisant la fille de Louis XIV.

Le cabinet détient aussi les masques mortuaires de Pascal et d'Henri IV, ainsi que la première carte de la lune, un télescope grégorien, un calendrier runique, et nombre de pièces de l'antiquité gauloise, égyptienne, romaine, sans oublier l'ensemble de « sauvageries », provenant des explorations des navigateurs européens. Cet admirable endroit recèle donc bien des « curiosités » échappant au répertoire commun des œuvres habituellement exposées dans les musées.

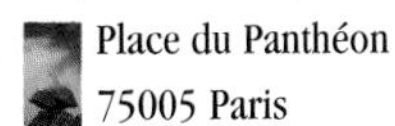

Place du Panthéon
75005 Paris

SITE INSOLITE

Paris

La rue du Pré-Saint-Gervais

La ville des Lumières recèle des secrets dans ses rues. Quoique visibles le plus souvent et ostensiblement signalés, les citadins de ce siècle sont trop affairés et pressés pour y faire attention. Les mystères de Paris gardent tout leur hermétisme. Citons quelques-uns de ces lieux, souvent ignorés et pourtant riches par leur étrangeté. Au n°49 de la rue du Pré-Saint-Gervais, se trouve le siège de l'Association culturelle antoiniste, avec ses 49 lieux de culte, dont celui de la principauté de Monaco. L'antoinisme revendique un million d'adeptes. C'est l'une des petites religions les plus anciennes de France. Louis Antoine, son fondateur est né en 1846 en Belgique. Fils d'une famille de onze enfants, il connaîtra les difficultés souvent cruelles de la vie ouvrière du XIXe siècle. Il aura ensuite une vie itinérante, avant d'être engagé comme concierge aux tôleries de Jemeppe-sur-Meuse. Curieusement, c'est là qu'il est initié au spiritisme, un courant occulte fort prisé à l'époque, surtout dans les hautes couches de la société. Il s'enthousiasme et se découvre médium. Se déclarant inspiré, il n'oublie pas ses origines et s'occupe de soigner les indigents. Dans le même temps, il s'invente une doctrine, que ses disciples vont colporter de maison en maison.

En 1906, on lui bâtit un premier temple, dans lequel il prêche la «nouvelle révélation» et pratique, comme le faisaient les rois français, l'imposition des mains. Le 25 juin 1912, il se «désincarne» et laisse à sa veuve le soin de continuer son œuvre. Sa doctrine n'est bien entendu ni très claire, ni très cohérente, mais au moins est-elle inoffensive, fondée sur la supposition que tous les maux viennent de l'imagination, et qu'il faut donc réformer cette dernière. Le seul relatif intérêt de cette doctrine est l'attention portée aux autres. Les pratiquants de l'antoinisme se tiennent à la disposition de ceux qui souffrent physiquement ou moralement et se doivent de leur porter secours. Ils ne reçoivent pas la moindre rétribution, ne font pas de quête, n'acceptent pas les offrandes et refusent également les testaments. La grande fête antoiniste est célébrée le 25 juin, jour de la désincarnation du père Antoine, la seconde se déroule le 25 août, en hommage au temple. Le temple du Pré-Saint-Gervais peut contenir 300 personnes, et il est souvent plein.

La rue Monsieur-le-Prince

Au n° 10 de la rue Monsieur-le-Prince vécut Auguste Comte, de 1841 à sa mort en 1857. C'est là qu'il conçoit et achève le principe de sa philosophie positive, qui allait influencer la pensée du siècle suivant. Quitté par son épouse, il travaille sans repos à rédiger le dernier volume du *Cours de philosophie positive*. C'est un homme discret, concentré, qui gagne sa vie en dispensant des cours de mathématiques. En 1844, il publie le *Traité d'Astronomie*, et en mai il rencontre chez un ami celle qui va jouer un rôle capital dans sa vie. Une jeune femme de trente ans, Clotilde de Vaux. Il l'aime passionnément. Le malheur s'abat sur leur couple et deux ans plus tard, Clotilde de

Vaux meurt. Le philosophe s'enfonce dans la solitude. Il voue un véritable culte à la disparue, la pleure chaque jour et renouvelle ses résolutions de vivre pour honorer sa mémoire et pour l'humanité. Car la philosophie d'Auguste Comte est hautement humaniste. L'œuvre qu'il met sur pied doit arracher l'homme à sa misère morale, intellectuelle et sociale. En 1848, il décide de fonder la Société positiviste à laquelle adhèrent des étudiants, des médecins, des prolétaires qui suivent ses cours d'astronomie dans la mairie du IIIe arrondissement.

La solitude qu'il s'impose ne lui interdit pas de se tenir au courant des affaires du monde. Sa correspondance compte au moins 3000 lettres écrites et 6000 reçues. Son amour quasiment religieux pour Clotilde de Vaux, qu'il mêle à celui qu'il porte à l'humanité, lui fait faire un pas supplémentaire dans le mysticisme. Sa pensée prend des allures de culte, et bientôt il fonde l'Église positiviste, qui consacre la venue d'un ordre social nouveau, bannissant les misères de l'existence. Le fondateur de la religion de l'humanité meurt en 1857. On l'enterre au Père-Lachaise. La tombe est une simple pierre sur laquelle est gravée l'une de ses maximes préférées : « Vivre au grand jour ». Il laisse derrière lui une œuvre écrite impressionnante. L'appartement de la rue Monsieur-le-Prince a été depuis reconstitué, jusque dans les moindres détails, tel qu'il se présentait du vivant du philosophe. Le positivisme imaginé par Auguste Comte a aujourd'hui cessé toute activité en tant que mouvement organisé.

La rue Payenne

Mais avec le n°5 de la rue Payenne l'histoire du positivisme se poursuit. C'est un bel immeuble orné d'une niche abritant une fresque, qui représente une jeune et jolie femme serrant un enfant (peut-être le portrait de Clotilde). Sous la niche, le bronze d'un homme d'âge mur. Au-dessous, une plaque dont l'inscription est effacée. Au-dessus de la niche se déploie la formule « L'Amour pour principe et l'Ordre pour base, le Progrès pour tout. » Tout en haut de la façade, cette autre inscription gravée : « Religion de l'humanité ».

C'est la maison de Clotilde de Vaux. En 1903, grâce à une souscription nationale, l'Église positiviste du Mexique achète l'immeuble de la rue Payenne. Les nombreux disciples de Comte ne veulent pas voir disparaître sa mémoire. En 1905, Texeira Mendes, nommé légat positiviste occidental auprès de la ville de Paris, y revient, afin de transformer l'ancienne demeure de Clotilde en un « résumé culturel de la Religion de l'Humanité ». Il fixe l'ornementation de la façade et crée au premier étage une « chapelle de l'Humanité », reproduction fidèle, à échelle réduite, du temple de l'Humanité, tel que l'avait conçu et décrit Auguste Comte. Cette maison du souvenir, véritable ode à l'Homme célébré à travers ses génies les plus éminents, ses vertus et ses noblesses, peut aujourd'hui se visiter.

La rue de Montmorency

Avec Nicolas Flamel, il nous faut remonter au XIVe siècle, pour découvrir un personnage appartenant autant à l'histoire officielle qu'à celle plus controversée de l'alchimie. Né aux environs de 1330, mort en 1418, enterré en l'église Saint-Jacques-de-la-Boucherie, cet écrivain public, qui sera vers la fin de sa vie libraire juré de l'université de Paris, est au centre d'une aventure qui passionnera l'Europe

pendant trois siècles : transmuter le plomb en or est un exploit revendiqué par les alchimistes, et cette affirmation suffit pour tourner les têtes. Est-ce la fortune considérable réalisé par ce modeste scribe qui l'a immortalisé ?

Le nom du personnage, attesté par les actes officiels est déjà troublant ; Nikolaos signifiant vainqueur de la pierre et Flamma signifiant le feu. Or, la science alchimique est justement l'emploi du mercure philosophal, que l'ardeur du feu convertit, adroitement utilisé, en or. Menant une vie bourgeoise et tranquille avec sa compagne, Perenelle, Nicolas Flamel ne montre rien dans sa vie qui défraie la chronique. Ce modeste employé aux écritures se trouvera pourtant acquérir une fortune considérable qu'aucun des moyens habituels, commerce, héritage, brigandage, n'explique. Avec cet argent, il est partout et en donne à tous, désirant faire le bien et prodiguer sa richesse. Il donne aux églises et hôpitaux des sommes considérables qui grossissent sa réputation, sans apparemment vider sa bourse. Cet adepte parisien du grand œuvre laisse s'organiser la rumeur et bientôt il est reçu à la cour.

Certains chroniqueurs de l'époque en feront même le conseiller et médecin ordinaire de Louis XIV. Les dons qu'il reçoit de la fortune ne le grisent pas et c'est « courtoisement » qu'il continue de financer les bâtiments publics.

Nicolas Flamel sera à l'origine de la construction dans Paris de quatorze hôpitaux et trois chapelles. Le XIXe siècle a presque tout effacé. Seule demeure la maison du 51, rue de Montmorency, la plus vieille maison de Paris. Autrefois dite du Grand Pignon, elle avait été construite en 1407. Au rez-de-chaussée se trouvait un lavoir, dont les revenus servaient à héberger des ouvriers agricoles de passage.

La Sainte-Chapelle

Enfoncée dans la triste cour du Tribunal correctionnel de Paris, la Sainte-Chapelle est un joyau. Voulue par Saint Louis pour abriter les reliques de la Passion qu'il rapportait de Constantinople, sa construction débuta en 1241 pour s'achever en 1248. Malgré deux incendies, elle conserve de nos jours le plus bel ensemble d'Europe de vitraux du XIIIe siècle. Le sujet des vitraux, leur facture en font un monument somptueux. Les techniques employées par les maîtres verriers du XIIIe siècle sont d'une rare complexité, en particulier pour les rouges, que les procédés modernes ne sont jamais arrivés à reproduire.

Du point de vue esthétique, c'est donc l'exemple d'un art parvenu à sa perfection dans le rendu des opalescences, des luminosités, des transparences. Les motifs s'épanouissent superbement et leur lecture est facile.

L'émotion ne doit pas faire oublier que les vitraux étaient pour les gens de l'époque un véritable livre ouvert. Illustrant les livres de l'Ancien et du Nouveau Testament, les vitraux de la Sainte-Chapelle se prêtent à une lecture chrétienne, que « l'art sacerdotal », ou alchimie, redouble d'un sous-entendu ésotérique. Prenons un exemple. À mi-hauteur de la troisième fenêtre en venant du portail, on voit sur la gauche le Créateur auréolé, assis sur trois cordons de nuages blancs, accompagné à sa droite du soleil, et à sa gauche de la lune. Son manteau est pourpre et sa tunique verte. Il élève la main droite en signe de bénédiction, la gauche tient un gros livre fermé posé sur le genou. Le sujet est consacré au principe lumineux, le *Fiat Lux* de la Genèse, avant la manifestation. La source unique du rayonnement se dédouble en soleil et en lune, elle est montrée encore enfermée dans le livre que tient le Créateur. Les deux états de la lumière sont traduits sous nos yeux ; elle est montrée d'abord cernée par la matière inerte, ensuite bondissant dans l'espace et créant les astres.

Une vue simplifiée du big bang des astrophysiciens, en somme.

Palais de Justice de Paris
75001 Paris

La fontaine Saint-Michel

Passée le pont Saint-Michel, la fontaine monumentale du même nom est encore un de ces édifices méconnus de Paris. L'actuelle fontaine, construite et sculptée en 1860, prenait la relève de l'ancienne, détruite en 1856, au moment du percement du boulevard. Sa nouvelle ornementation : un rocher de granit soutenant saint Michel brandissant une épée et venant de terrasser le démon, ne plut guère aux promeneurs du XIXe siècle et ils le firent savoir : « Un monsieur couché sur le ventre, cherche à découvrir l'origine d'une fuite d'eau qui vient de se déclarer au-dessous de lui, quand un étranger, déguisé en ange de mélodrame, profite de sa position pour venir lui monter sur le dos en jouant du violon sur son bras avec un sabre. Le monsieur lève la tête et le regarde d'un air étonné. » La boutade

est plaisante. Mais la valeur ésotérique tient à un détail qu'on ne rencontre pas sur les représentations habituelles du combat de saint Michel : une fontaine, inconnue du mythe chrétien, jaillit du rocher, dont on a toute raison de croire qu'elle a jailli sous le coup qui a terrassé le dragon. Le rocher de granit noir supportant saint Michel serait la « matière première » du travail alchimique. Ce travail consistant à battre, à l'aide d'une masse de fer, la roche de matière informe, afin d'en faire sortir l'eau mercurielle qu'il contient. L'intervention de saint Michel, avec son épée flamboyante, évoque les opérations de la flamme sur la pierre, première étape alchimique modifiant la matière.

Cette signification est naturellement codée et ne se laisse pas deviner, déguisée comme souvent sous une pieuse imagerie. On peut déclarer dépassé aujourd'hui ce genre de symbolisation, on peut s'en amuser, et juger les générations précédentes plongées dans des illusions que les sciences exactes ne pouvaient pas corriger. On peut néanmoins s'interroger sur le fait qu'elles étaient systématiquement rapprochées avec des épisodes du catéchisme chrétien. On peut encore se demander comment de telles figurations étaient possibles. Des monuments, pompeux ou splendides, en tout cas chargés de messages symboliques, étaient régulièrement édifiés. Les maîtres d'œuvre, bien que tracassés par les autorités, dont celle puissante de l'Église, trouvaient le moyen d'y introduire des messages chargés d'un sens contraire aux bonnes mœurs. C'est là une énigme bien curieuse.

La rue de l'Hirondelle

En quittant la fontaine Saint-Michel, il faut traverser la place Saint-André-des-Arts vers l'ouest et pénétrer dans le passage qui termine la petite rue de l'Hirondelle. A la sortie du passage, après les trois marches, on trouve à droite, au numéro 20 le hiéroglyphe du feu sacré des alchimistes, sous la figure d'une salamandre, sculptée en bas-relief. L'animal mythique dont la croyance populaire a colporté qu'il vivait dans le

feu et se nourrissait de feu est représenté parmi les flammes, conformément à la tradition. Au numéro 20 toujours, une autre salamandre est sculptée, dans la cour. Différente de la première, de facture plus ancienne, elle présente une succession de gros boutons le long du dos et de la queue, rappelant ceux que Cyrano signale dans ses vers : « Ces boutons que vous voyez à la gorge de celui-ci, qui procèdent de l'inflammation du foie, ce sont... » Malheureusement, Cyrano s'interrompt.

La Serpente de la rue Hautefeuille

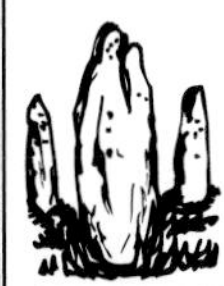

Très voisine de la rue de l'Hirondelle, une jolie tourelle du XVIe siècle attire l'attention, au sud de la place Saint-André-des-Arts. Elle fait partie de ce qui fut l'hôtel de Fécamp, construit une première fois en 1292. Elle est comme un signe discret invitant à passer sous le porche du numéro 5 de la rue Hautefeuille. Au fond du passage, on découvre l'un des plus beaux spécimens de la sculpture naïve du XVIe siècle. C'est une grande console de bois, dont la potence sculptée évoque un corps de femme ; celui-ci à la place de jambes, est pourvu d'une queue de serpent. Aussi l'appelle-t-on la Serpente. La proximité d'une rue proche, appelée rue Serpente, ne lui est pas étrangère. La Serpente est peut-être une sirène. Dans la mythologie française, on retrouve semblable femme : la fée Mélusine. Dans le conte, mariée à un homme, elle lui fait promettre de ne jamais chercher à la voir, ni chercher à savoir à quoi elle s'occupe le samedi. Alors s'écoulent

des années heureuses, Mélusine assurant le succès de toutes les entreprises de son époux. Jusqu'au jour où, oubliant son serment, son époux, Remondin, pour suivre le conseil de son frère, jaloux de sa fortune, surprend son épouse dans sa chambre le jour interdit. Il y découvre : « Mélusine en une cuve, agitant une queue grosse et longue durement, qui débattait l'eau tellement qu'elle la faisait jaillir jusqu'à la voûte de la chambre. » Le serment rompu, le temps du bonheur et de la prospérité est révolu. Comme tous les récits, celui-ci se prête à différentes lectures, sans qu'aucune ne s'exclue. On peut y lire l'histoire de la puissante maison des Lusignan, qui furent rois de l'île de Chypre. On peut y trouver un beau conseil moral : tant que la parole est gardée, la gloire prospère. Dès que celle-ci est perdue, signe d'une défaillance de la noblesse de cœur, tout décline. On peut encore se rapporter à

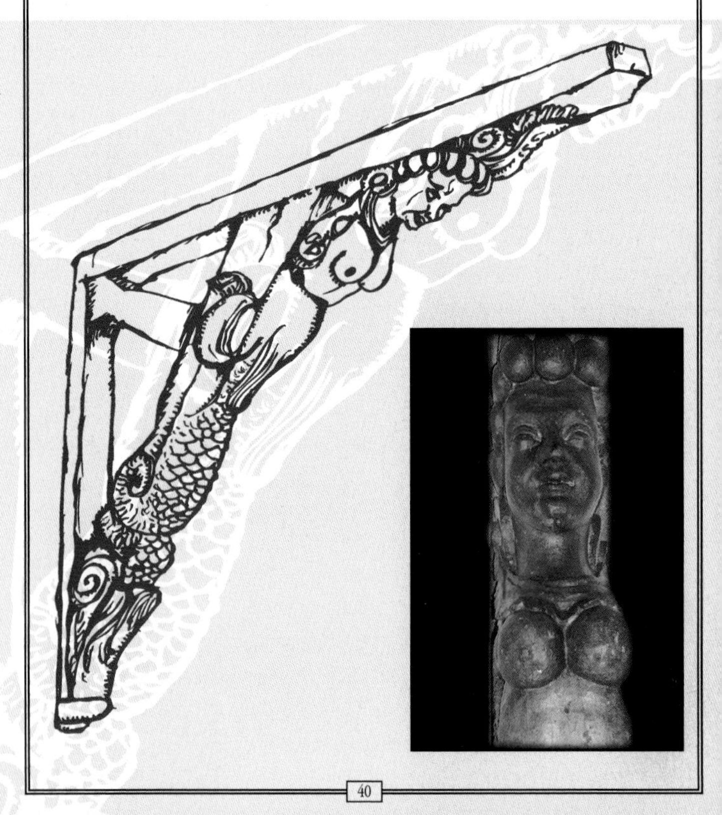

l'étymologie du nom de Mélusine : composé des racines *me*, mère, et *lus*, lumière, cela fait d'elle la mère de la lumière. Un sens souterrain à l'histoire apparente du conte, qui ouvre à d'autres interprétations.

L'hôtel de Cluny

Du côté impair du boulevard Saint-Michel, voici l'hôtel de Cluny. Il appartenait aux bénédictins, qui le firent construire entre 1485 et 1498. C'est le plus beau témoin à Paris de l'architecture flamboyante médiévale. Au-dessus de la porte cochère de la cour figurent 6 coquilles Saint-Jacques, attestant la dévotion chrétienne de ces bénédictins. Cependant le détail de la moulure porte d'autres indications ; tels les 2 dragons, l'un ailé, l'autre aptère, qui constituent un frontispice indiquant qu'on est autorisé à lire autrement l'ensemble ornemental de l'édifice.

Et ce n'est pas une banale coïncidence que de retrouver ici, sur ce qui sera au Moyen Âge le plus grand monastère d'Europe, des

Insolite : une « sculpture » contemporaine trône au milieu du jardin de Cluny.

allusions à une activité pourtant interdite par l'Église. Voici par exemple les deux dragons dont les extrémités tiennent lieu de racines à la vigne qui encadre la porte. Seul l'un d'eux est pourvu d'ailes, c'est l'image du combat des deux natures, du bouc et du volatile, c'est-à-dire du « mâle » et de la « femelle ». Dans l'entrelacs des branches de la vigne, 4 jeunes clercs allongés déroulent des parchemins. Les inscriptions qui y figurent signalent nettement l'existence d'un sens secret dissimulé dans les compositions de la sculpture. Le drame alchimique est donc amplement inscrit sur les façades de l'hôtel de Cluny, comme une broderie de motifs nous parlant d'un savoir tombé dans l'oubli.

La pagode de Nogent

VAL-DE-MARNE

Aimons-nous les voyages pour la distance qu'ils nous donnent avec ce que nous connaissons, ou pour les nouveautés que nous allons découvrir ? Sans nous fournir de réponse à cette question, un détour vers l'avenue de la Belle-Gabrielle à Paris s'impose tout de même. À l'angle arrondi que forme l'avenue Belle-Gabrielle, joignant Paris à Nogent, on remarque un portique rouge. C'est l'entrée d'un lieu pas comme les autres. Derrière le portique, l'allée rectiligne découvre des bâtiments classiques, mais, si vous avancez encore, le bouddha brisé, les bosquets de bambous, les éléphants sculptés vous convaincront d'avoir mis le pied en Asie. Un lieu inespéré de beauté, d'harmonie, de calme donné par la nature omniprésente et l'architecture. Créé en 1899, pour l'Exposition coloniale, le jardin d'essai de Nogent servit d'abord aux jeunes ingénieurs à se familiariser avec la botanique des pays asiatiques. Sur trois hectares furent plantés des fleurs, des fruits, des plantes utiles, ou odorantes, venues de tout le continent asiatique et des îles du Pacifique. Plus tard le principe de culture de plantes exotiques sera étendu à tous les pays de la planète.

Pour l'Exposition agricole de 1905 des bâtiments des pays d'origine seront reconstitués : un kiosque de la Réunion, une serre

du Dahomey. Il est à noter que pour les bâtiments aujourd'hui conservés, ce sont à l'époque des artisans du pays même qui prirent en charge leur construction. À la fin des différentes expositions qui vont se succéder sur vingt ans, le jardin est maintenu en plus ou moins bon état. Depuis lors, la pagode de Nogent est utilisée pour des cérémonies commémoratives. Faire une promenade dans ces lieux est un voyage sans déplacement, mais qui entraîne néanmoins, sur quelques centaines de mètres, le promeneur vers les continents d'Afrique et d'Asie, avec un dépaysement total.

Avenue de la Belle-Gabrielle
94130 Nogent-sur-Marne

MAISON CÉLÈBRE

La maison d'Alexandre Dumas

YVELINES

Alexandre Dumas se plaisait tant dans la région de Saint-Germain-en-Laye, qu'il désira y vivre. Il découvrit ce qu'il cherchait au bas de la colline de Saint-Germain : un terrain dominant la Seine et disponible à la vente. Il acheta plusieurs lopins, convoqua un architecte et lui déclara :

- Je veux un château Renaissance, accompagné d'un pavillon gothique au milieu d'un lac. Le parc sera à l'anglaise, avec des cascades.
- Mais monsieur Dumas, je ne peux pas ! C'est une colline de glaise, vos bâtiments vont couler dans la Seine ! lui répondit l'architecte.
- Vous n'aurez qu'à creuser jusqu'au roc, en faisant deux étages de sous-sols.
- Mais cela va vous coûter deux cent mille francs !

Et Dumas eut cette réponse :

- Mais je l'espère bien !

Tout fut réalisé et, le 25 juillet 1847, une réception accueillant 600 convives était organisée dans le château, aussitôt appelé Monte Cristo. Un nom emprunté au roman qui, avec *Les Trois Mousquetaires*, avait lancé leur auteur et fait sa fortune. D'inspiration Renaissance, le château est en réalité d'une facture indéfinissable. Les initiales entrelacées de l'auteur ornent les toitures, tandis que les fenêtres sont habillées des profils des écrivains qui lui sont chers : Homère, Hugo, Gœthe, Byron. À ceux qui s'étonnent de ne pas voir son portrait figurer dans ce panthéon, Dumas répond : « Moi, je suis dedans.»

Mais cette modestie ne dure pas. Il finit par se faire représenter à la place d'honneur, au-dessus de la porte d'entrée, avec cette devise : «J'aime qui m'aime.» Au premier étage, l'appartement est notamment composé d'une chambre mauresque entièrement décorée de sculptures réalisées par deux artistes tunisiens. Sur la colline dominant le château, au milieu du petit lac se dresse le château d'If, modeste édifice inspiré du gothique.

C'est là que Dumas installe son cabinet de travail et qu'il élabore son œuvre romanesque. Par un escalier de fonte en colimaçon, on accède au balcon de bois, qui donne lui-même accès à la pièce du premier étage. Destinée probablement à recevoir ses conquêtes, la seule interruption qu'il se permet dans la rédaction d'une œuvre qui lui prend ses jours et ses nuits. On peut se demander d'ailleurs pourquoi il a tenu à faire bâtir un château qu'il n'occupe jamais, ou si peu.

Car Alexandre Dumas mène une vie invraisemblable, tenant table ouverte à tout un monde de pique-assiettes, de femmes, de tapeurs, en même temps qu'une armée de domestiques vide sa

bourse et sa cave. Certains jours, Dumas ne reconnaît même pas les gens qui circulent chez lui, lorsqu'il se décide à se montrer dans le Monte Cristo. Réfugié dans le pavillon gothique, il écrit du soir au matin, n'en sortant que brièvement, pour courtiser une femme, assister à un dîner. Cette existence tapageuse le ruine. En 1849, la meute des créanciers s'abat sur le Monte Cristo. Le château est saisi. Dumas a beau faire, le domaine est vendu et passe à d'autres mains.

Dans les années 1970, le château est menacé de démolition, il faut une campagne d'opinion lancée par Alain Decaux pour le sauver. Les villes de Marly-le-Roi, Le Peck-sur-Seine et Port-Marly achètent l'ensemble du domaine afin de le sauver de la destruction et de le restaurer. Ainsi, le parc, le château d'If et le domaine de Monte-Cristo, aujourd'hui classés monuments historiques, retrouvent leur faste d'antan. Quant à l'intérieur du grand château, en 1985, un mécène prestigieux, le roi du Maroc, intervient personnellement. Il fait restaurer la chambre mauresque, réaménage le rez-de-chaussée et le premier étage, où se trouve le musée. Aujourd'hui l'ensemble du domaine a été entièrement réhabilité à l'identique. Les villes et la Société des Amis d'Alexandre Dumas travaillent ensemble pour faire découvrir l'écrivain et son étonnante demeure ouverte au public.

1, avenue du Président-Kennedy
78560 Le Port-Marly
Tél. 01 30 61 61 35

JARDIN FANTASTIQUE

Le désert de Retz

YVELINES

C'est au XVIIIe siècle que ce genre de folie a connu son apogée. La dureté, l'hypocrisie, la flatterie, telles étaient les vraies souveraines de la cour du roi Louis XVI. Pour fuir ce climat insupportable, même aux plus endurcis, l'envie de retraite devint un besoin en même temps qu'une mode. Ménars, Ermenonville et Versailles avaient leur désert. Se retirer seul, entre amis, ou en galante compagnie devint le prétexte pour se faire bâtir un espace de solitude, tout de même aménagé au milieu d'un parc, de façon à ne pas disparaître tout à fait.

En 1774, M. de Monville, brillant courtisan à la cour de Versaillles, crée le désert de Retz, un vallon d'une quarantaine d'hectares ceinturé par la forêt de Marly, qu'il fait entièrement aménager. Ce terrain est refaçonné et devient un jardin d'inspiration anglo-chinoise, dont la végétation abrite un temple de Pan, qui évoque des ruines romaines, une glacière en forme de pyramide rappelant l'Égypte, une église gothique du XIIe. Une colonne en état de destruction donne au parc son aspect singulier. C'est en effet une réalisation architecturale visionnaire, anticipant de trois siècles nos modernes élévations, conçue par Ledoux et Boullée, célèbres architectes de l'époque. Cette colonne figure la ruine d'une civilisation disparue, dont elle serait l'unique pièce préservée. M. de Monville habitait ce désert, y organisant des fêtes libertines tapageuses. Des personnalités illustres le visitèrent : la reine Marie-Antoinette, le roi de Suède, Thomas Jefferson, futur président des États-Unis. Au XXe siècle, il fascine les surréalistes, Colette, Prévert... Depuis 1986, deux amoureux du Désert de Retz ont entrepris sa restauration. Ce désert de Retz est saissisant !

Allée Frédéric-Passy
78240 Chambourcy
(Les visites sont suspendues temporairement)

SITE INSOLITE

Le village préludien

SEINE-ET-MARNE

«Je suis un pêcheur de lune, je suis un idéaliste, un illuminé. L'illuminé c'est celui qui croit à l'impossible.» Voici comment se présente Chomo, et, à voir sa création, on comprend qu'il dit vrai. Son village d'art préludien (un nom fabriqué d'après le terme de précolombien), est un incroyable monument d'artiste enragé, d'artiste brut, travaillant sans faire de concession à un style admis, ne suivant que lui-même. Chomo, sculpteur inspiré de la forêt de Fontainebleau, a créé un temple naïf à l'usage des cœurs simples, rassemblant 30 000 œuvres faites de ses mains. La pancarte qui accueille le curieux le prévient immédiatement : «Fet (sic) un rêve avec Chomo.» À côté, un gong attend, sur lequel il faut frapper pour prévenir de son arrivée. Une fois entré, on est face à «l'Église des pauvres». Première étape du parcours, régulièrement ponctué de panneaux de têtes de fer, de papillons. L'intention de Chomo : «Détrôner le bronze en art, montrer qu'on peut faire tout, avec rien.» De fait l'Église des pauvres surprend par son allure, malgré les matériaux de récupération qui la composent. Rosace en bouteilles de verre, métal tordu, assemblage aléatoire...

Plus loin c'est le «Sanctuaire des bois brûlés». Chomo le désigne comme «la frontière de l'expression sur cette planète». Qu'est-ce ? Des épaves de bois récupérées et brûlées par l'artiste. Un monument à la violence des siècles, en somme. La visite se termine, mais elle aura été intense, par le «Remorqueur réfrigéré», un espace sacré où Chomo exprime sa vision de l'existence : «Nous n'allons pas vers l'apocalypse, nous sommes l'apocalypse.»

Une vision noire et terrible du monde, mais dont les accents ne sont pas sans vérité.

77116 Ury
Achères-la-Forêt

Champagne Ardenne

SITE INSOLITE

Musée de la Forêt

ARDENNES

Le travail du bois a occupé l'homme durant des siècles. Ces immenses cathédrales que sont les forêts, comme les nommait Hugo, sont à l'origine de bien des métiers, de bien des vocations. Bûcherons, sabotiers, faiseurs de cendre, forgerons, charpentiers, charbonniers, arracheurs d'écorce, tout un peuple vivant de près ou de loin, de la générosité de la forêt, un peuple dont le nom, les boisilleurs, s'est perdu depuis. L'immense forêt des Ardennes abritait ces légions d'hommes dans ses profondeurs. Henri Wastine a ressuscité ce passé disparu en créant le musée de la Forêt, à la lisière de celle des Ardennes, où Clovis et Charlemagne chassaient le sanglier.

Le musée a ouvert ses portes végétales en 1988. C'est un long circuit au milieu des chênes, des hêtres et des bouleaux, peuplé d'une vingtaine de statues (en bois), de 1 mètre de haut, taillées d'une façon rudimentaire, pour laisser au bois son apparence la plus immédiate. Chaque statue évoque l'un de ces vieux métiers : les bûcherons affûtant leur hache et leur serpe, les charbonniers s'activant autour d'un four à charbon de bois, les fagotiers, rassemblant les brindilles qu'ils amassent en faisceau, les déchiqueteurs, les scieurs de long, les écorceurs...

La promenade continue dans le sous-bois, jusqu'à un étang peuplé de brèmes et de truites. Un pêcheur sculpté taquine le goujon. La fin du voyage forestier conduit les visiteurs à l'ancien lavoir, où les lavandières se chuchotaient les secrets des familles, en même temps qu'elles en lavaient le linge. Dans la forêt des Ardennes, le peuple des forêts est revenu, grâce à la volonté de Henri Wastine, inventeur de ce lieu unique.

08150 Renwez
à 15 km de Charleville-Mézières

SITE INSOLITE

L'Ys

Vosges

C'est après un voyage en Inde qu'Yves Humblot décide de changer de vie. Il se retire du monde. Renonçant au confort moderne, il veut vivre comme un Indien, au milieu d'un bois, privé d'électricité et de toutes les facilités courantes. Sait-il déjà que pour lui cette expérience va se prolonger dans une grande aventure d'ordre spirituel ? Fortement impressionné par le bouddhisme, il édifie un temple d'inspiration tibétaine qui devient sa retraite d'ermite. Et puis, peut-être pour occuper sa solitude, il va à l'aide d'un marteau piqueur, seule concession à la technologie moderne, arracher des blocs de pierre à la roche alentour. Mais la volonté d'un solitaire est parfois immense. Et si la vie du reclus est modeste, ses réalisations le sont moins. Certaines des œuvres qu'il monte font plus de 10 tonnes.

L'Inde est connue pour ses bouddhas hauts de plusieurs mètres et pesant jusqu'à 50 tonnes. Yves veut s'entourer des mêmes monuments de sagesse. Chaque sculpture représente une allégorie. Ainsi, en plaçant face à son monastère « l'ombre du soir », une statue effilée de 5 mètres, il a voulu représenter un vieux gardien étrusque. Ce sont pas moins de vingt-deux pièces sculptées qu'Yves a installées peu à peu. À 100 mètres du monastère, c'est « la symbiose », une statue solitaire ornée d'une seule tête pour deux corps unis, qui représentent la sensualité et l'esprit tentant une difficile union. Plus loin, c'est la « Carole », un ensemble de 5 pierres, dont il dit qu'elles puisent leur force dans la terre.

Comme pour les moines taoïstes, la vérité est toujours double pour l'ermite, et c'est ainsi que « l'oiseau », le surnom de Yves Humblot, nous la figure. L'allégorie suivante est noyée sous les herbes sauvages. Elle est la déesse mère. Cette pierre polie en forme d'œuf abrite la semence de la connaissance.

La fin de l'itinéraire est ponctuée de plusieurs monolithes, symbolisant l'énergie cosmique qui nous est dispensée par le soleil et la lune, elle-même en relation étroite avec la terre. Une allégorie complétée des symboles du feu pour l'homme, de l'eau pour la femme, ces éléments s'affrontant et se répondant en nous. Au bout du chemin, le big bang de la création de l'univers est manifesté par une grosse boule d'énergie. Aujourd'hui, l'ermite est un homme satisfait de son parcours, dont il a voulu laisser la trace inscrite sur ce coin de France. Son atelier à ciel ouvert s'est déplacé et se trouve maintenant installé dans une carrière de grès, aux portes du village de Darney (à 3 kilomètres de l'Ys). Il y taille d'autres statues, de plus en plus monumentales, dont l'exécution empruntant à plusieurs religions et philosophies, s'efforce de trouver un sens aux nombreuses questions sur nos origines et de notre futur. A la fois par le désir d'illustrer notre époque et d'en laisser un signe aux prochaines générations. Il est parfois difficile de s'orienter dans le parcours de l'artiste, mais son ampleur ne doit pas nous décourager, et au contraire nous inspirer la plus vive curiosité.

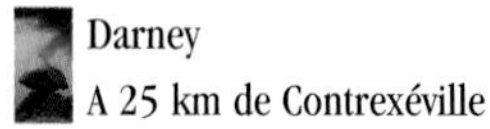

Darney
A 25 km de Contrexéville

SITE INSOLITE

Musée Alfred Melkes

BAS-RHIN

C'est un foisonnement d'animaux et de personnages légendaires surgis du folklore alsacien, du cinéma et de la bande dessinée, qu'a rassemblé Alfred Melkes dans son jardin. On croise ainsi King Kong, des cigognes, un tigre du Bengale, Bernadette Soubirous implorant la Vierge, des Alsaciennes aux yeux charmeurs, des musiciens en gilet rouge et chapeau noir, le fameux baron strasbourgeois, Hans im Schnokeloch, toujours aussi atrabilaire et gourmand, attablé devant un repas digne de Pantagruel. Pour créer ce petit monde, Alfred Melkes a procédé comme beaucoup d'artistes bruts, en ramassant les débris abandonnés par d'autres. Ancien maçon, il réinvente la société, y introduisant son humour et sa malice. « J'étais à la retraite, explique-t-il. Un jour, j'ai vu des morceaux de pantoufle sur le sol. Une idée a surgi ; je vais m'en servir pour fabriquer des cerfs. J'ai tout rapporté chez moi, dans la remorque de ma mobylette. Et je me suis mis au travail ».

Ce qu'il expose dans son jardin est le résultat de dix années d'efforts, à raison, de cinq heures par jour, pour peupler les cinq ares de son jardin. «Au début, ça me plaisait tant que je me levais à cinq heures du matin, j'en oubliais même de manger. Quand j'entre dans mon domaine, je suis tout remué devant l'expression de mes bonshommes. C'est une fête, ils ont l'air de m'attendre, j'espère que cela produit le même effet sur les visiteurs. »

67310 Wasselonne
Rue du Bubenstein

VILLE D'ÉPOQUE

Riquewihr et Hunawihr

HAUT-RHIN

Signalée dans les textes dès 1094, mais probablement fondée plus tôt encore, Riquewihr devient très vite un centre viticole renommé. Elle acquiert le statut de ville en 1320. Deux dates marquent son ascension : en 1489, le duc Henri de Wurtemberg-Montbéliard accorde à Riquewihr certains privilèges, indispensables pour exercer le commerce. En 1522, l'importante corporation des vignerons s'organise, ce qui consolide la position de la viticulture dans la région. La prospérité démarre franchement au XVIIIe siècle : vignobles et carrières de gypse font la fortune de la cité. La Révolution, bien accueillie, y passe sans dommage. Au cours des combats de l'hiver 1944/1945, qui détruiront entièrement les agglomérations voisines de Mittelwihr et Benwihr, Riquewihr est miraculeusement épargnée. La ville compte parmi les communes d'Alsace vivant exclusivement de la

Riquewihr : une architecture bien préservée.
Hunawihr, au cœur du vignoble alsacien.

viticulture. Les vignobles qui l'entourent sont réputés produire les meilleurs vins d'Alsace. La qualité des cépages a été soigneusement protégée, et des interdits, réitérés dès 1575 et 1644, ont empêché l'introduction de cépages de qualité inférieure.

À l'intérieur de sa double enceinte, la ville présente un ensemble de demeures, uniques en Alsace, datant des XVIe et XVIIe siècles, ornées d'une foule d'éléments splendides : vieux puits, portails, encadrements de fenêtres, oriels, sculptures, etc. À 5 kilomètres, le pittoresque village de Hunawihr, également fief des Wurtemberg, présente la même élégance architecturale, dans un état de conservation presque aussi impeccable. Les 1 500 habitants du Riquewihr (vignerons pour la plupart), vivent aujourd'hui dans un décor inchangé qu'ils fleurissent et animent, en suivant les saisons du vin avec un soin constant.

Frisson médiéval

Aux passionnés d'histoire médiévale le musée de la Tour des voleurs de Riquewihr offre de visiter une authentique chambre des tortures. On y voit entre autres les outils autrefois utilisés pour «faire avouer», une oubliette, une estrapade et un exemplaire du code pénal autrichien du temps des Lumières.

Musée de la Tour des voleurs
Rue des Juifs - 68340 Riquewihr
03 89 47 80 80

SITE INSOLITE

Parc de Maulévrier

Maine-et-Loire

Alexandre Marcel participa à l'exposition universelle de 1906. Une date oubliée aujourd'hui, mais de grand retentissement à l'époque. Architecte et grand voyageur, il est chargé en 1896 de restaurer le parc de Maulévrier. Inspiré par ses voyages, il y plante un jardin où chaque monument, chaque bosquet, arbre, et plan d'eau correspond à un élément de la pensée bouddhique. Le propriétaire laissera se faire cette étrange composition sans s'y opposer.

Par ses dimensions et son orientation, le jardin s'apparente au jardin japonais, dans lesquels l'élément primordial est l'eau. Une eau courante qui suit la course du soleil. Passé la pagode et son jardin d'agrément, on prend un chemin menant au temple khmer. Orné de deux génies, il protège, dit-on, des mauvaises énergies.

C'est aujourd'hui un lieu de culte fréquenté. À proximité, les îles Grue et Tortue, qui par leur forme et leur taille, rappellent celles du temple de *Konchi-in*, à Tokyo. On y parvient par un pont rouge, cette couleur signalant autrefois qu'il était réservé aux divinités et à l'empereur. Le parc oriental de Maulévrier s'étend sur plus de douze hectares, et ses richesses architecturales sont nombreuses. Les moments de paix, de douceur qu'il procure à ses visiteurs constituent un agréable souvenir.

49360 Maulévrier
Chemin du Grand Pont à 23 km de Cholet

SITE INSOLITE

Musée Joseph Desnais

MAINE-ET-LOIRE

Au cœur de la vallée de l'Authion, bordée de peupliers et de champs de fleurs, dans la ville médiévale de Beaufort, un petit musée vous attend. Créé par Joseph Desnais, au début du XIXe siècle, il abrite 5 000 objets répartis dans de vastes salles. Joseph Desnais, aventurier et amateur d'art raffiné, a collectionné chacune de ces pièces pour son agrément, rapportées de ses nombreux voyages. Sous les lampes dorées défilent des tableaux figuratifs de petits maîtres, des céramiques, des poteries, des sculptures, des armes, des antiquités égyptiennes. On reste saisi devant certaines d'entre elles. Devant la momie de cette grande prêtresse d'Isis, remontant à la haute antiquité égyptienne, par exemple. Devant le magnifique buste en bronze d'une jeune fille, *La Petite Châtelaine*, sculpté par Camille Claudel et offert au musée par les Rothschild en 1896. Un musée de collectionneur au mille surprises esthétiques.

49250 Beaufort-en-Vallée
Place Jeanne de Laval

Le jardin zoologique de Thorée-les-Pins

SARTHE

Il est des événements anodins qui changent une existence. « J'ai commencé à sculpter à la mort de mon canard en 1974, raconte Émile Taugourdeau. J'ai voulu l'immortaliser et j'en ai fait une statue. » Le canard est maintenant au milieu d'un peuple d'animaux colorés - ours, cerfs, buffles, flamants - cohabitant en harmonie. Au long des petites allées du parc zoologique d'Émile, on découvre également un château de nains aux cheminées coniques, surgi tout droit des *Voyages de Gulliver*, le roman fantastique de Swift. Émile y a aussi introduit un arbre à perroquets, un Mexicain sorti tout droit d'une bande dessinée, qui, comme saint François d'Assise, donne à manger aux ours.

Pour Émile, ce monde animal est une évasion de l'univers humain, qu'il semble regretter d'avoir à fréquenter. Utopiste, Émile Taugourdeau ? « Je ne pense pas à ces questions quand je fabrique mon petit monde, mais il y a du vrai. C'est à vous de voir. » Plus loin, des paons font la roue, un groupe de buveurs lèvent leur verre et trinquent... le monde d'Émile nous expose des situations d'une saine naïveté, qui réchauffent le cœur.

72800 Thorée-les-Pins

Les Cartes, à 13 km de La Flèche

MAISON CÉLÈBRE

La maison d'Anatole France

INDRE-ET-LOIRE

Anatole France vivra ses dix dernières années sous le ciel de Touraine. Sentant la guerre venir dès le printemps 1914, France acquiert une petite maison dominant la vallée de la Choisille. Entourée d'un court jardin, cette maison de style incertain est le refuge d'Anatole France, fuyant Versailles, où il résidait alors. L'écrivain est accompagné de celle qui est un peu plus que sa gouvernante, mais ce refuge n'est guère pour lui un havre de paix, et il suit pendant quatre ans l'évolution de cette guerre, qu'il a toujours voulu empêcher. Il consacre néanmoins un peu de son temps à agrandir son domaine, par les

achats successifs de plusieurs parcelles, qu'il rassemble en un domaine de 12 hectares. Ses droits d'auteur lui permettent ensuite de transformer les chais en pavillons destinés à loger les amis qui viennent le visiter. Du côté du jardin, il supprime la véranda et le passage vitré jugés disgracieux et aménage l'orangerie en cabinet de travail. Conventionnel en art, et aussi pour contredire ces années de violence, il songe longtemps à faire édifier un temple de l'Amour, auquel il renonce finalement. Peut-être l'époque ne sourit-elle guère à ce genre de projet. Surtout, il veut recréer son cadre de la villa Saïd, dans laquelle il a vécu.

Ce décor fait de boiseries, de livres, de tableaux, d'œuvres d'art, illustre ses deux sujets de prédilection : la Grèce et le XVIIIe siècle. Ces objets, il les déplace sans cesse, se promenant avec un marteau et

des clous pour leur trouver le plus bel emplacement. Ils sont finalement demeurés là où il les a disposés. De nombreux objets d'art religieux figurent dans sa collection. Il dira à leur propos : « Je suis bien sûr de mon salut, il y aura toujurs quelque vierge pour me tendre la main. Elle dira au Père éternel : - Je le connais, il n'est pas aussi noir qu'on le dit. J'ai longtemps couché dans sa chambre. » La pièce principale est le salon, décoré de boiseries, avec le bureau sur lequel il travaillait, des fauteuils en os de mouton, et un remarquable torse grec que l'écrivain a rapporté de Rome. Sur la cheminée est installée une terre cuite représentant un Éros, offert par Nubar Pacha à France, lorsque ce dernier prit la défense des Arméniens.

D'une politesse raffinée, toujours prêt à recevoir, il nous a laissé de savoureuses anecdotes. Le grand vieillard s'exprimait avec élégance et bonté, mais n'hésitait pas à s'amuser à brusquer ses visiteurs. À un candidat à l'Académie lui confiant qu'il avait déjà effectué vingt visites, France s'exclama : « Vingt visites, vous savez

donc le nom de vingt académiciens, homme exceptionnel ! Puisque vous les avez appris par cœur, gardez-vous de les oublier. Par vous l'avenir les connaîtra peut-être. Je vous admire et je vous envie. Car l'autre jour, avec Courteline, nous n'avons jamais pu en trouver que trois. Soudain, Courteline s'est frappé le front et m'a dit : "Mais mon cher, avec vous cela fait quatre." Nous n'avons pas dépassé ce chiffre .»

Le dessinateur Gassier, rendant visite à France avec sa maîtresse, qu'il venait d'épouser peu de jours auparavant, lui présenta celle-ci avec une certaine fierté : « Ma femme.» Alors, Anatole France, se tournant vers Emma Laprévotte, sa gouvernante, annonça : « Ma concubine.»

L'écrivain hésitera d'ailleurs longtemps à donner son nom à cette femme admirable, mais inculte, qu'il aimait néanmoins sans hésitation. Il l'épousa en 1902. En cadeau de noces, il ajoutera un salon chinois à sa maison, un décor dont elle se déclarera satisfaite. Anatole France va mourir le 12 octobre 1924, dans cette maison qu'il n'a plus quittée. Le décor en est inchangé, et elle continue d'accueillir les lecteurs de son œuvre et les curieux.

La Béchellerie
37540 Saint-Cyr-sur-Loire

La maison d'Honoré de Balzac

INDRE-ET-LOIRE

De tous ses logis, c'est celui qu'il préféra toujours. Honoré de Balzac y vint dès 1813 et ne cessera plus ensuite d'y retourner, pour échapper aux soucis financiers. Il en parlera souvent : «Ce débris de château se trouve dans l'une des plus délicieuses vallées de l'Indre. Le propriétaire, homme de cinquante-deux ans, m'a fait jadis sauter sur ses genoux. Il a une femme intolérante et dévote, bossue, peu spirituelle.»

Le château de Saché était en effet la propriété de M. de Margonne, qui fut l'amant de la mère de Balzac et avait reporté sur le fils une affection sans faille. Il ne fallait pas moins de vingt-trois heures de diligence pour aller de Paris à Tours. De là, lorsque la voiture du château n'était pas au rendez-vous, il arrivait à Balzac de franchir à pied et bravement, les vingt kilomètres le séparant encore de Saché. L'écrivain s'y rend presque chaque année entre 1823 et 1837. Il y travaille à ses romans, dont le *Père Goriot*, *Séraphita*, les *Illusions perdues*, *César Birotteau*, *le Lys dans la vallée*, *les Petits Bourgeois*. Certaines de ces pages sont imprégnées de l'atmosphère de la région, et le cadre de ce travail nous a été conservé. La chambre de Balzac est toujours là, avec, dans l'alcôve, son lit. En enlevant les couches de papier des différentes époques, on a pu reconstituer la tapisserie qu'il contemplait.

Les objets dont il s'entourait nous sont également restés, un petit massicot, souvenir de l'imprimerie qu'il a fondée et lui a valu la ruine, un quinquet à huile de baleine, dégageant une infecte odeur, mais qu'il appréciait pour sa lumière ne faisant aucune ombre sur les pages. Car c'est la nuit qu'il écrivait. Couché à dix heures du soir, il se réveillait à deux heures du matin et travaillait jusqu'à

cinq heures de l'après-midi. Pendant ces quinze heures de travail, il consommait de grandes quantités de café. Du château, la vue s'ouvre sur la vallée de l'Indre, qu'il contemple longuement, et finit par intégrer à son œuvre.

En 1837, il écrit à Mme Hanska, la femme qu'il aime passionnément : « Ma chambre donne sur des bois deux ou trois fois centenaires et embrasse la vue de l'Indre et le petit château que j'ai appelé Clochegourde. Le silence est merveilleux. » Toute l'action du *Lys dans la vallée* se déroule dans ce paysage. Dans ce lieu qui lui apporte tranquillité et réconfort, il place les personnages de cette histoire qui tient tant de la sienne, y racontant le premier amour de Félix de Vandenesse, avec les souvenirs qu'il garde du sien. Le soir, il descend dîner avec ses hôtes, fuyant dès l'arrivée des invités de la soirée, pour reprendre son travail. Il lui arrive tout de même d'assister aux soirées, dont il devient le centre d'attraction, racontant et déclamant l'épisode en cours d'écriture, le plus souvent de mémoire.

Pour les invités, c'est un agrément faisant oublier les longues heures de calèche. La dernière fois qu'il revient à Saché, en 1848, Balzac est épuisé et malade. Il consacre ses dernières forces à Mme Hanska : « Je viens, lui écrit-il, de m'établir dans ma petite chambre, cette petite chambre où je vous ai tant écrit, où j'ai tant pensé à vous, et mon premier souci est de vous écrire encore... Je suis levé ce matin depuis cinq heures et je n'ai fait que penser à vous, me rappeler vos robes, vos toilettes, nos promenades et ce que nous disions... Hier j'ai senti bien péniblement le poids de la vie, aussi me suis-je jeté à corps perdu dans les souvenirs, ce vaste champ où vous êtes partout comme une consolatrice. » Parti en juillet pour la Russie, d'où il revient pour mourir, il ne reverra plus Saché.

Rue du Château
37190 Saché

SITE INSOLITE

La maison Picassiette

EURE-ET-LOIR

Raymond Isidore (1900-1964), passera sa vie à sublimer sa modeste condition. « On m'a mis balayeur dans un cimetière comme quelqu'un qu'on rejette parmi les morts», dira-t-il. C'est à partir de 1928 que Raymond Isidore commencera son œuvre. Durant trente ans, il va infatigablement chercher et ramasser les débris de verre et de porcelaine, les éclats colorés dont il décore les murs de sa maison, dans la rue du Repos. Une activité qui lui vaut son surnom de Picassiette.

Il devient architecte et sculpteur par la grâce, dit-il, d'une force supérieure qui le pousse à se bâtir un palais multicolore de prince oriental. Il s'inspire pour cela d'illustrations, trouvées dans les livres pieux et les journaux, sur les calendriers et les cartes postales, dont il mélange et combine les motifs. Pour ériger son monument baroque, il va manipuler et employer quinze tonnes de débris de porcelaine. La façade, les murs intérieurs, les sols, les plafonds sont entièrement recouverts de mosaïques. La visite commence par les paysages de France, où il n'hésite pas à camper une caravane en route vers une cité mystérieuse. Dehors, appuyée contre la façade arrière de la maison, la chapelle de style peu orthodoxe abrite un Christ noir. « C'est une réalisation née de ma croyance personnelle », affirmait Picassiette.

Et de fait, tout est étrange et sans équivalent dans cet univers. Plus loin, passé un porche, on débouche dans la Cour noire, où trône le tombeau, gros bloc de pierre de mosaïque noire, supportant une réduction de la cathédrale de Chartres, ornée de symboles, telles une madone vêtue de bleu, une rosace en soleil. Dans le jardin, des sculptures – La Fayette, la Mère Nature. Sur le mur intérieur, des fresques représentant des paysages de France sont ponctuées d'étranges masques en ciment. La dernière partie de ce jardin est un parterre géométrique dominé par le trône de l'Esprit du ciel, surmonté d'une monumentale mosaïque de la ville de Jérusalem. Derrière le trône la tombe de l'Esprit, espace sacré nimbé de lumière céleste, planté d'un pilier central qui porte l'inscription : Dieu Jésus Marie Joseph ici l'étable de Bethléem ici repose l'esprit.

« Mon jardin, c'est le rêve réalisé, le rêve de la vie où l'on vit en esprit dans l'éternité », dira-t-il de son œuvre. Et en effet, les façades de sa maison, miroitantes de couleur, animées de personnages qui semblent nous sourire, avec le jardin de pierres et de lumières qui l'entoure, tout cela nous donne à voir l'âme d'un homme au cœur d'enfant.

22, rue du Repos
28000 Chartres

Le tunnel de la Fabuloserie, à Dicy dans l'Yonne

Bourgogne

SITE INSOLITE

Cardo Land

YONNE

Certains hommes imaginent l'avenir, d'autres réinventent le passé. Cardo, un ancien danseur espagnol, a fondé un parc préhistorique imaginaire à 10 km de Vézelay, peuplant 10 hectares de bois et de champs de sculptures peintes de dinosaures, hommes néandertaliens, scolausores, stégosaures, salamandres géantes. Des créatures démesurées, puisque l'une des plus grosses pèse 8 tonnes et mesure 11 mètres de long et 6 de haut. « J'étais danseur à l'opéra, raconte-t-il. Pour m'évader, je rêvais à mon projet de parc. J'ai débarqué dans le Morvan au début des années 1970. J'ai convaincu les paysans du coin de me céder une dizaine d'hectares et j'ai commencé à bâtir mon empire. » Carlo n'a aucune prétention scientifique ou artistique, rien qu'un désir de réaliser un vieux rêve

d'enfance : créer un pays imaginaire et y vivre. « Je fais la préhistoire des gens simples, explique-t-il. J'utilise des procédés de sculpteur et toute ma fantaisie. Mon père était anarchiste et m'a appris à peindre. Ma mère dansait le flamenco. Ils voyageaient beaucoup. Mes jouets étaient des livres comme *la Guerre du feu*. Je voyageais dans mes lectures. » Le réalisme exacerbé que Carlo investit dans ses monstres reflète son goût pour les contes de fées et les enchantements de l'histoire. Ces créatures sont d'ailleurs bien inoffensives, mais leur taille produit un effet saisissant sur le visiteur. « Il me fallait un matériau qui résiste au froid et à la pluie, poursuit Cardo, j'ai travaillé une mixture à laquelle j'ai ajouté de la fibre de roche et du mica expansé. » Ce qui prévaut à Cardo Land, c'est la mise en scène baroque. Inutile donc d'y chercher une exactitude de représentation scientifique, même si les visiteurs un peu experts conviennent de la réussite de la grotte ornée de fresques. Ne manquez pas la promenade dans le bois voisin. Les cris des dinosaures vous surprendront (un enregistrement diffusé très impressionnant). Un dépaysement de plusieurs millions d'années.

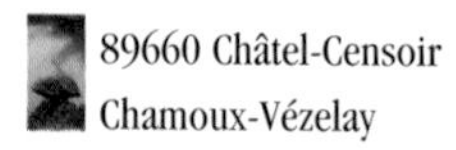

89660 Châtel-Censoir
Chamoux-Vézelay

VILLE D'ÉPOQUE

Apremont-sur-Allier

CHER

Ville fortifiée durant le Moyen Âge, Apremont a profité de sa position de ville fluviale. Les carrières des environs fournissaient en abondance des pierres de qualité, qui, une fois taillées, étaient acheminées par l'Allier et la Loire sur des bateaux à fond plat. Ces pierres ont servi à la construction de prestigieux édifices religieux, comme ceux d'Orléans et de Saint-Benoît-sur-Loire. Sur la rive gauche de l'Allier, dominant le village, le château d'Apremont commande depuis bien longtemps la seule voie qui longe le cours de la rivière. Il sera en partie reconstruit en 1488, par Philibert de Boutillat, bailli de Nevers et trésorier de France, puis agrandi et remanié au XVIIIe siècle. C'est à Eugène Schneider, initiateur de la dynastie industrielle du Creusot, que le village lui-même doit sa seconde naissance. Mais surtout, en 1930, l'architecte Galéa va entreprendre un travail de reconstruction visant à lui redonner son allure de village bourguignon.

Apremont est désormais un modèle de reconstitution historique, d'où cette étonnante homogénéité architecturale, qui fait songer à un décor de théâtre. L'Allier décrit devant Apremont une large courbe majestueuse, qui contribue pour beaucoup au charme et à la beauté du site. Le port d'embarquement des pierres de taille a disparu, laissant la place aux pêcheurs de saumon, très abondants dans ces eaux. Cet ancien village de carriers est devenu un site de pêche apprécié, en même temps qu'un havre de repos pour sa centaine d'habitants.

Le Bourg, 18150 Apremont-sur-Allier
À 15 km de Nevers

SITE INSOLITE

La Fabuloserie

YONNE

Création de Alain Bourbonnais, la Fabuloserie est une maison de l'imaginaire. Son fondateur y a rassemblé un millier d'œuvres, pour constituer le musée de l'Art inconnu. Les artistes exposés ici ne le sont nulle part ailleurs. Tous de condition modeste, ouvriers, agriculteurs, vachers, forgerons, mineurs, ils ont exprimé leur vision en puisant directement dans leur vie, pour l'inspiration et les matériaux utilisés. Os, vieux tissus, conserves, cageots, ficelles, plumes, morceaux de métal... Tout a tourné dans leurs mains, a été plié, tordu, peint, assemblé, afin d'exprimer émotion, espérance, rêve.

On entre dans la Fabuloserie par une porte surmontée d'une niche où veille la statue d'un vieil homme entouré d'un ange et d'animaux de ferme. Dans le couloir on découvre les peintures religieuses de l'anarchiste mystique Podesta, le bateau pirate d'Émile Ratier, l'Automaboule dédiée à l'universelle bêtise, œuvre d'un Afghan anonyme. Au centre du labyrinthe, on croise les monstres fabuleux du Berrichon Alain Genty, enfermé durant quinze ans, qui décrivent l'enfer de sa vie. Plus loin sont les poupées ligotées de Marshall. Des poupées terriblement expressives. Plus loin encore, les Turbulents, des créatures inventées par Alain Bourbonnais. Ces personnages faits de papier mâché tournent, avancent, tremblent, sont agités de secousses sous nos yeux. À l'extérieur, le jardin est également peuplé par les statues de Camille Vidal, qui semblent danser au son de l'orchestre des singes. Et derrière, on arrive au manège légendaire de Pierre Avezard. Ce bric-à-brac émouvant, visité par Jean Dubuffet lui fera dire : «Vos ouvrages sont orientés sous un vent qui est celui de l'Art Brut qui est aussi mon vent.»

89120 Dicy

Musée de l'Art-Hors-les-Normes, à 27 km de Montargis

SITE INSOLITE

La Santa Maria

Côte-d'Or

À Arceaux, petit village bourguignon, Pierre Arnoux a reconstitué grandeur nature la *Santa Maria*. Cet ancien de la Royale a vu un jour la caravelle de Christophe Colomb en miniature : « Ma femme me l'a offerte. J'ai toujours eu la nostalgie de la marine. Alors, je me suis lancé dans cette aventure.» Pour cela, il a fallu vaincre bien des difficultés, dont celle qui consiste à persuader des sponsors. Les fonderies du Creusot lui coulent alors six bouches à feu modèle 1492, les mêmes que celles qui équipaient le bâtiment de Colomb. Tolède lui offre une armure et EDF fournit la mâture du bateau. Ensuite, il faudra à Pierre Arnoux six mille heures de travail, 13 000 vis et 1 200 mètres de cordage pour construire une réplique de la *Santa Maria*. Celle-ci terminée, enduite d'huile de baleine et de goudron de Norvège, elle mesure 20 mètres de long et 6 de large. Respectant les techniques des métiers de jadis, il réussit une copie parfaite de la caravelle qui porta Christophe Colomb, le 12 octobre 1492, jusqu'à une île des Caraïbes qu'il appellera San Salvador.

Dans la caravelle, les bouches à feu, des répliques de l'ancien mobilier, des armures médiévales de Tolède, des blasons de Castille et d'Aragon, un fauteuil espagnol du XVe siècle, des vitraux ornés de la Virgo Maria. Pierre Arnoux a dessiné lui-même les motifs des 40 médaillons du plafond. La proue contient dans ses flancs la chapelle renfermant la vierge espagnole en bois doré, qu'on appelait *Stella matutina* (l'étoile du matin).

C'est donc une visite d'un genre particulier que nous propose Pierre Arnoux. L'ambition d'un homme devant un labeur forcené, comblant un rêve secret, mais aussi un morceau d'histoire, de conquête et de navigation, exposé dans un petit village français.

21310 Arceau
à 20 km de Dijon

SITE INSOLITE

Le village sculpté

Creuse

Masgot est un hameau perdu au cœur de la Creuse, dont le héros fut un modeste tailleur de pierre. Son nom : François Michaud. Un maçon inspiré qui traversa le XIXe siècle en consacrant sa vie à édifier une œuvre qui lui valut d'abord l'anonymat et une grande hostilité. Avec sa grande habileté, Michaud savait polir une pierre difficile, la pierre grossière de la Creuse, en lui donnant un arrondi, une douceur inimaginables. Son inspiration connut trois périodes. Il représenta d'abord la faune rurale, plantant aux quatre coins du village des sculptures de cochons, de volaille, de renards, immortalisant ainsi un bestiaire plein de réalisme. Ensuite, influencé par le socialisme en vogue au siècle dernier, il se mit au granit, sculptant les grands principes de la Révolution française ; liberté, égalité, fraternité.

Enfin, ce lecteur de l'Almanach des postes tailla une curieuse série de personnages, qu'il plaça autour de sa maison : des moines à genoux, Napoléon face à une hyène, une femme représentant la science, une sirène, un chien avec des pattes de reptile, l'ensemble étant ponctué de rébus et d'inscriptions énigmatiques. On voit qu'il n'hésitait pas à mêler des personnages historiques à des créatures de son invention.

Oubliées durant un demi-siècle, les œuvres de François Michaud menaçaient de finir rongées par l'érosion et recouvertes de ronces. Heureusement, par un juste retour d'estime, elle connaissent aujourd'hui une seconde vie. Le village, enfin reconnaissant s'est constitué en association, afin de restaurer ses sculptures, les préserver et les offrir à la curiosité de tous.

Aujourd'hui, Masgot est devenu le rendez-vous des tailleurs de pierre de la France entière.

23480 Saint-Sulpice-les-Champs
Fransèches

PAYSAGE GRANDIOSE

La chaîne des Puys

PUY-DE-DÔME

Ces douces montagnes sont les plus jeunes de France. Et le temps n'est pas si lointain où, du puy de Dôme s'élevaient d'effroyables nuées ardentes, crachant laves et fumées. Car la chaîne des Puys est constituée d'une suite de jeunes volcans, actuellement éteints, datant du quaternaire et dont les dernières manifestations d'activité remontent à quelques années avant notre ère.

Ce ruban volcanique rappelle tout de même son passé éruptif par quelques phénomènes secondaires : sources chaudes, eaux thermales, gisements de matières telles que les pierres ponces et les pouzzolanes, encore exploitées aujourd'hui. Située près de Clermont-Ferrand, la chaîne des Puys s'étire approximativement sur une quarantaine de kilomètres, parallèlement à la faille des

Limagnes, qui sépare deux mondes bien distincts. À l'ouest, un vieux socle élevé à 800 mètres, surmonté des reliefs volcaniques. À l'est, les grandes plaines fertiles des Limagnes, comportant également des traces d'activité volcanique. La zone la plus remarquable est comprise entre Volvic et le lac d'Aydat, la limite étant établie par la faille des Limagnes et la vallée de la Sioule. La plupart des sommets sont formés par des cônes stromboliens quaternaires, aux formes particulièrement fraîches, qui renseignent sur l'allure que présentaient les autres volcans du monde dans leur jeunesse. Le type strombolien se caractérise par une activité éruptive continue, avec des projections de colonnes de gaz et de pierres peu dangereuses car verticales. C'est le cas par exemple du puy de Côme, et du Pariou. L'autre exemple d'activité rencontré dans les Dômes est de type péléen, tel le puy de Dôme. Ce type est lié à des émissions de domite, une lave très acide, trop visqueuse pour s'écouler. Les émissions sont séparées par de longues périodes de sommeil apparent qui se terminent par des explosions gigantesques, avec projections de nuées ardentes, de blocs, qui pulvérisent le bouchon du cratère. Suivent des envois de lave pâteuse, qui heureusement, par manque de fluidité ne peuvent s'évacuer et bouchent à nouveau le cratère. Il suffit d'évoquer les ravages d'un tel type d'éruption à travers le monde, pour mesurer

le potentiel dévastateur des volcans de la chaîne des Puys. Sur le plan éruptif, l'ensemble des volcans est plutôt homogène, et leur état stationnaire ne présente heureusement aucun danger de réveil prochain. Les coulées stromboliennes du passé témoignent de larges épanchements qui ont suivi les pentes, particulièrement vers l'ouest, où elles sont allées s'éteindre dans les Limagnes.

Un autre phénomène remarquable du volcanisme, d'un grand intérêt touristique à présent, est la formation de lacs. Si les lacs de cratère sont ici pratiquement inexistants, on trouve en revanche des lacs formés par des barrages, provoqués par les anciennes coulées de lave. C'est le cas du lac d'Aydat. En fonction de l'altitude et du type de sol résultant du volcanisme, la végétation est composée de résineux et de hêtres. Les cratères et leurs flancs présentent des landes somptueuses à parcourir. La roche volcanique, riche en minéraux, donne à cet égard un sol très fertile, qui compose des terroirs propres à des cultures de très haut rendement, que le relief accidenté rend malheureusement impraticables à l'exploitation. Les hommes l'ont compris très tôt, privilégiant le pacage de bétail divers. La chaîne des Puys dessine un paysage lunaire mais verdoyant, habité de sommets évasés dominé par le sévère puy de Dôme. Ce lieu consacré autrefois au dieu Mercure compose l'un des plus impressionnants paysages volcaniques de la planète.

SITE INSOLITE

Chaudes-Aigues

Cantal

Les eaux qui font la réputation de Chaudes-Aigues jaillissent du sol en ébullition, comme sortant droit des fournaises de l'enfer. La source la plus importante est celle du Par, dans le haut de la ville, dont la température atteint 82 °C. Connues dès les premiers siècles de l'ère chrétienne, elles furent rapidement exploitées dans des centres thermaux dont subsistent des vestiges. Un chroniqueur médiéval note : « Ceux d'alentour ne viennent aux sources qu'une fois l'an, à la veille de la Saint-Jean. Ce jour-là, il y a en France une quantité incroyable de superstitions. Celle de Chaudes-Aigues consiste à boire des eaux minérales, et la coutume incite à en boire tant qu'il est possible. Et les gens suivent si bien cette coutume que beaucoup en périssent. »

L'usage domestique de cette eau naturellement chaude se répandit peu à peu, en même temps que se perdait cette dangereuse coutume, bien proche d'une torture. Depuis la plus haute Antiquité, on utilisait déjà l'eau, il est vrai, pour chauffer les maisons. La chaleur qu'elle fournit correspondait annuellement à la combustion d'un bois de 540 hectares. Autrefois, les femmes venaient même directement à la source y préparer leur repas, ainsi qu'y plumer les volailles, y épiler le cochon. Cet usage se trouve rappelé dans le nom de la source, « Par » venant de parer ; nettoyer. Chaudes-Aigues est le centre sensible de nombreux cultes et croyances, associées ou non à la source. La chapelle de Notre-Dame-de-Pitié conserve une statue découverte dans la grotte dite Four des Anglais, qui a servi de refuge pendant la guerre de Cent Ans. On attribue des vertus guérisseuses à cette statue, que la présence de béquilles et d'ex-voto déclare authentiques.

On peut en tout cas confier aux eaux thermales le soin de soulager les sciatiques et les rhumatismes les plus incurables, et s'étonner de ce prodige naturel, qui justifie à lui seul une visite à Chaudes-Aigues.

SITE HISTORIQUE

La forteresse hantée

ALLIER

Qui n'a souhaité trembler en rencontrant un fantôme ? Les amateurs de frissons glacés n'ont pas besoin de gagner l'Écosse. Il existe en Auvergne une demeure hantée par un spectre : le château de Veauce, imposante forteresse juchée sur les hauts rochers du bourbonnais, que bat un vent puissant venant du fond du nord.

Le fantôme est féminin, c'est Lucie. Son histoire est tragique. Elle débute à la fin du Moyen Âge. À l'époque, Lucie est une belle jeune femme aux longs cheveux blonds. Elle sert un puissant chevalier, le seigneur Daillon. Entre eux naît une passion violente qui suscite une jalousie vengeresse dans le cœur de l'épouse du chevalier. Un jour que le seigneur doit partir guerroyer au service du roi de France, la châtelaine saisit l'occasion pour en finir avec sa rivale. Elle enferme Lucie au sommet de la tour. Quelque temps plus tard, les habitats du village aperçoivent une forme humaine rayonnante sur les créneaux de la tour. C'est Lucie. Morte, elle va désormais errer et hanter le château. On ne sait rien de ce qu'il advient du seigneur et de son épouse. Cela importe peu. Depuis, Lucie cherche le repos de son âme, ne se résignant pas à abandonner les lieux de son amour et de sa mort. Le propriétaire actuel du château, le baron Ephraïm de la Tour, est tombé à son tour amoureux du fantôme de Lucie. Ceux qui ont rencontré le fantôme de Lucie le décrivent comme une ombre lumineuse, avec un visage resté beau à voir, même venant de l'au-delà. Elle promène la nuit sa longue silhouette blanche enfouie sous une pèlerine. Les caméras d'une chaîne de télévision ont réussi, paraît-il à capter son image, dans les années 1980. Légende ou vérité ? Le mieux est d'aller y voir vous-même.

03450 Ebreuil, Château de Veauce
à 35 km de Vichy

VILLE D'ÉPOQUE

Le Puy-en-Velay

HAUTE-LOIRE

Avant même que l'on évoque son histoire religieuse, le site du Puy-en-Velay frappe l'imagination par son étrangeté physique. Il occupe l'espace d'un bassin étalé sur l'ouest d'une chaîne volcanique, d'où jaillissent les silhouettes aiguës de pics de basalte, les *dykes*, dressés comme d'immémoriales sentinelles. Les fragments de matériaux romains, prélevés dans la région et réutilisés pour la construction des plus anciennes églises de la ville, suggèrent la présence de cultes païens et chrétiens, dès la plus haute Antiquité.

Et de fait, les légendes médiévales mettent l'accent sur l'ancienneté du Puy, l'antique Anicium, dans l'histoire des grands lieux sacrés du Velay. Avec Godescalc, l'évêque du Puy, la sainteté de la ville prendra une plus grande ampleur. Il est le premier, en 950, à effectuer le pèlerinage vers Compostelle, pour se recueillir sur le tombeau de saint Jacques. À son retour, il favorise la construction, au sommet du dyke le plus acéré, de la fameuse chapelle Saint-Michel, qu'il consacre le 18 juillet 961. À la fin du XIe siècle, dans des conditions restées mystérieuses, la ville devient dépositaire de la statue miraculeuse de la Vierge - la célèbre Vierge noire - détruite en 1794 et dont la belle statue de Rocamadour pourrait donner une idée. Au XIIIe siècle, Saint Louis, dévot assidu de Marie, ajoute à la collection des reliques de la Vierge, une épine de la croix du Christ. Offrant ainsi un sujet d'adoration aux pèlerins, qui jusqu'à la fin du Moyen Âge viendront chaque année envahir le Puy. En 1407, c'est si vrai que le vendredi saint connaît un record d'affluence : 200 000 personnes sont présentes dans le village, et 200 personnes meurent étouffées dans la cohue.

De ce passé mystique, il nous reste de beaux témoignages : la statue de la vierge sur le sommet le plus élevé, le rocher Corneille, la cathédrale romane qui s'élève sur une éminence secondaire et la fantastique chapelle Saint-Michel d'Aiguilhe, couronnant l'étonnant pain de sucre qu'il faut gravir au long de 269 marches abruptes creusées dans la roche. Mais la particularité du Puy-en-Velay réside dans l'association de saint Michel et de la Vierge, qui donne sa cohérence à la géographie sacrée du site. En effet, si le Puy est au premier chef un sanctuaire marial, c'est en réalité le couple du saint et de la Vierge qui le patronne. La Vierge vénérée ici était « celle qui doit enfanter », comme à Chartres. Mais le sanctuaire de l'archange saint Michel, domine la ville et paraît la protéger. On notera que ce « jumelage », entre les cultes de l'Archange et de la Vierge, apparaissent aux alentours de l'an mil, à l'époque où s'élabore la culture féodale. À la lumière de cette observation, un fait historique semble se dessiner. Dans les dernières années du Ier millénaire, de nouveaux lieux de pèlerinage s'imposent, dont le Puy. Les figures qui y sont vénérées traduisent les idéaux et les valeurs qui vont gouverner les siècles suivants. La Vierge et le soldat saint en personnifient le sens et la légitimité : le sacré et la défense du divin par les hommes, dont c'est la mission durant leur vie. Ils incarnent au fond les deux ordres du système social : ceux qui prient et ceux qui combattent, le clergé et la noblesse.

Ce qui fait de Puy-en-Velay l'un des lieux où s'est formulé le modèle politique et social, qui allait gouverner la France pendant presque huit siècles.

JARDIN FANTASTIQUE

Le jardin de Cordes

Puy-de-Dôme

Le château de Cordes se pare d'un jardin aux haies monumentales telles qu'on les aimait au XVIIe siècle. Emprunter les allées étroites à l'abri de ces immenses murs végétaux est un plaisir qui nous ramène trois siècles en arrière. Bien calé sur la pointe de son éperon rocheux, ce château du XVe siècle semble avoir été déposé là par un jardinier mégalomane.

Il faut une certaine audace pour avoir osé planter à 900 mètres d'altitude, un jardin à la française autour d'un bâtiment qui garde toute son austérité féodale. Nous sommes en 1695, lorsque le marquis d'Allègre cherche pour les plans de ses jardins un créateur prestigieux. C'est Le Nôtre, jardinier du roi à Versailles, qui en aurait finalement conçu l'agencement. Une allée conduisant au château est aménagée, bordée d'une double haie de hêtres taillés en rideau de 7 mètres de hauteur. Elle débouche sur la cour d'honneur, dont la forme en demi-lune épouse le tracé du mur d'enceinte. Il y ajoute deux terrasses, véritables jardins suspendus, que divisent des allées en étoile. Les triangles de gazon sont ponctués de buis taillés. On ne peut accéder aux terrasses qu'en traversant les ouvertures aménagées dans les haies. Les parterres français prennent alors des allures secrètes qui ne sont guère traditionnelles dans un pareil ensemble. Leur découverte n'en est que plus délicieuse. Sur la droite les charmilles dessinent une salle de verdure qui a dû être un salon de musique. Les dessins géométriques des haies de charmille établissent un dialogue étrange avec les courbes naturelles du paysage auvergnat.

Parcourir le jardin de Cordes c'est accepter de se perdre dans ses allées grandioses. On éprouvera alors des émotions dignes du Grand Siècle. Le domaine est ouvert aux visites depuis 1965.

63210 Orcival
à 20 km de Clermont-Ferrand

JARDIN FANTASTIQUE

Le jardin d'Effiat

PUY-DE-DÔME

Pour atteindre la cour d'honneur du château, au bout d'une allée de tilleuls centenaires, il faut franchir un portail sculpté en lave de Volvic, appelé l'Arc de triomphe. Le ton est donné. Cette demeure riche en souvenirs historiques et son jardin rigoureux entendent afficher clairement leur prestige. Une fierté méritée, car il s'agit là de l'une des plus belles terrasses de France.

En 1627, le maréchal d'Effiat fait redessiner son jardin en vue de donner à la vieille demeure familiale une parure digne d'accueillir le roi et le cardinal de Richelieu. Le jardin, attribué à Mollet, jardinier du roi, se compose de parterres de gazon, dits à l'anglaise, disposés autour de miroirs d'eau. Des ifs ferment les quatre extrémités de la composition. Une double allée de tilleuls, plantés

dans des caissons de gazon, longe les parterres. L'eau du grand canal qui borde le jardin au nord de la cour d'honneur vient rafraîchir cette stricte harmonie. Une immense terrasse, longue de 135 mètres, borde entièrement le jardin au nord-ouest. Au centre de la terrasse, un nymphée – une grotte de rocaille. Face au nymphée, un pont de pierre enjambe la douve d'eau claire. De part et d'autre de la grotte, des escaliers ornés de sculptures invitent à monter les marches. Une fois sur la terrasse, on découvre les champs s'étendant à perte de vue sur le paysage des Limagnes.

Du temps du maréchal, un immense parc de 132 hectares orné d'un étang commençait ici. Pour faire construire son parc, le maréchal avait fait entièrement déplacer le village. Au-delà du bassin, les chênes plantés à la création du jardin sont encore debout. En se retournant, on peut découvrir le château, dont la décoration de pilastres en lave de Volvic n'a pas été achevée. Cette demeure de style Louis XIII détient des boiseries Renaissance italienne uniques en France. À la mort du maréchal en 1632, les aménagements du château sont suspendus au profit de la réalisation d'un hôpital, qui existe toujours.

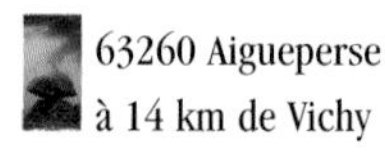

63260 Aigueperse
à 14 km de Vichy

SITE INSOLITE

Le Palais idéal du facteur Cheval

DRÔME

Facteur rural à Hauterives, Joseph-Ferdinand Cheval (1836-1934) fut un fonctionnaire sans histoires. Mais tout en distribuant son courrier, il portait une étrange ambition : construire un palais égalant les pyramides des pharaons. C'est un galet rencontré sur son chemin, curieusement façonné par la nature qui déclenchera le premier geste. Cette pierre présentait une forme tourmentée, tenant de l'animal et de l'homme. « Puisque la nature veut faire la sculpture, moi je ferai la maçonnerie et l'architecture », se dit-il. Dès lors, commence l'époque du « grand charroi ». Chaque jour, dans sa

Les trois géants : César, Vercingétorix et Archimède.

brouette, il rapporte des kilos de galets, de rochers, ramassés dans les coteaux. Tout ce que la nature invente de bizarre il le collecte et projette de s'en servir. En 1879, le chantier débute. « Avec trente mille francs de salaire par mois, il acheta cinq mille francs de ciment. Toute sa famille criait au fou. Il la ruina avec délices. » Car le pays est porté à le croire dérangé et commente sans indulgence les agissements du facteur Cheval : « C'est un pauvre fou qui remplit son jardin de pierres. » On rit, on le moque, et lui-même n'est pas loin d'en penser autant pour son compte : « Je me traitais aussi moi-même de fou, d'insensé, notera-t-il plus tard dans son autobiographie ; je n'étais pas maçon, je n'avais jamais touché une truelle, sculpteur, je ne connaissais pas le ciseau, l'architecture, je n'en parle pas, je ne l'ai jamais étudiée. » Cet ancien ouvrier boulanger n'a pourtant pas oublié son premier métier. Il se met à travailler une curieuse pâte dans son fournil : du ciment mêlé à de l'eau et du sable. Désireux d'améliorer la décoration de son terrain, il construit un bassin, puis une grotte, puis une cascade. Le résultat lui plaît et il édifie un fond de scène pittoresque en bordure de son jardin. Grisé par les possibilités de ce matériau, nouveau pour l'époque, il se lance dans une immense réalisation : le Palais idéal du facteur Cheval. Il ne s'arrêtera plus. Le facteur de Hauterives va concrétiser les songes qui le prennent lors de ses longues journées de marche à travers la campagne. Chaque jour, il porte leur courrier à ses concitoyens, tout en craignant l'arrivée d'un médecin aliéniste requis par ceux-ci, et empile les matériaux de son grandiose projet.

Reliant pierres et fossiles avec son ciment, il combine ces curiosités naturelles pour créer une foule grouillante d'animaux et de personnages, de plantes, d'inscriptions creusées dans le ciment frais. Autour du palais, il installe des bancs, un belvédère, les grottes de sa villa Alicius. La végétation magnifie ce qui devient un saisissant rêve oriental. Malgré les critiques, il achète la parcelle voisine de son jardin. Le canal d'arrosage qui le longe devient l'axe de sa composition, un assemblage époustouflant de grottes, tours, jardins, châteaux, musées et sculptures. Pour amadouer les réticents, il en propose la visite. Au moment d'entrer, chaque visiteur passe sous la dédicace inscrite au fronton : « C'est de l'art, c'est du rêve, c'est de l'énergie. » Esprit autodidacte, il rassemble dans son Palais tout ce qu'il croit être la somme des connaissances de son temps. On y trouve un temple khmer, une mosquée, un sanctuaire hindou, un château médiéval, un chalet suisse, la Maison-Blanche. À l'intérieur, le Palais compose une sorte de tombeau monumental, traversé par une longue galerie aux murs ornés de fresques et de sentences : 26 mètres de long pour les façades est et ouest, et 14 mètres pour la façade nord. Une hauteur de 8 à 10 mètres, un volume de 1000 mètres cubes, une durée de construction de dix mille journées, soit trente-trois ans d'épreuves, de privations et d'enthousiasme frénétique.

Commencé en 1879, l'ensemble est achevé en 1921. Dehors : des terrasses habitées de sculptures, dedans : une galerie qui se termine à chacune de ses extrémités par un labyrinthe. À la mort du facteur Cheval, l'avenir de son Palais reste incertain, livré au bon vouloir de la municipalité de Hauterives, et aux agressions des intempéries. Son classement aux Monuments historiques, décidé par A. Malraux, le sauvera de la disparition.

La folie du facteur Cheval n'est pas un phénomène isolé. On trouve des forcenés de l'imaginaire comme lui à travers toute la planète. Le jardin des monstres de Bomarzo (à Viterbe, au nord de Rome), a été créé au XVIe siècle par un aristocrate passionné d'ésotérisme et d'astrologie. Il a composé une galerie impressionnante de sphynx, de dragons, femmes-serpents, dédiés aux forces obscures. À Chandigarth (Inde), un cantonnier a édifié dans les années 1970 un vaste royaume de trois hectares, où se succèdent des couloirs ornés de mosaïques et de milliers de statues. Aux États-Unis, dans le Nebraska, un fermier a construit un temple fait de trente et une carcasses de voitures, reconstituant l'ensemble de dolmens du site britannique de Stonehenge. Mais les amateurs de lieux insolites n'auront pas à aller si loin. Aujourd'hui complètement restauré d'après des photographies, le Palais idéal du facteur Cheval témoigne splendidement de la ténacité et de l'originalité de son créateur.

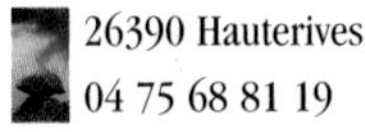
26390 Hauterives
04 75 68 81 19

JARDIN FANTASTIQUE

La Bastie d'Urfé

LOIRE

Cette merveille de l'art rustique est miraculeusement conservée, malgré la fragilité de ses rocailles. L'idée de la salle de fraîcheur date du XVIe siècle et constituait le lieu le plus sophistiqué du jardin Renaissance. Conçue comme un rêve fait d'ombres et de jets d'eau vaporeux, on y découvrait des personnages de légendes, des animaux sculptés dans des matériaux toujours précieux ou pittoresques, pierreries, coquillages, métaux semi-précieux.

C'est en rentrant d'Italie, où il a vécu de 1546 à 1551, que Claude d'Urfé décide de transformer son château. Frappé par les grottes rustiques, en particulier celle de Castello à Florence, réalisée en 1540 par Ammannati et Tribolo, il décide d'en faire bâtir une semblable chez lui. Il est vrai que l'influence italienne est partout. De cette époque datent la grotte des Pins à Fontainebleau et celle de Bernard Palissy aux Tuileries. Les deux salles de la Bastie, situées au fond de la cour, sont éclairées par cinq arcades, closes par des grilles ornées de pampres et de grappes. Les murs des grottes sont couverts de coquillages, de concrétions et de pierres.

Devant le château, des compartiments rectangulaires ont été reconstitués en 1960. Ils mettent en valeur un autre vestige du jardin primitif ; une élégante rotonde flanquée de colonnes et de piliers d'inspiration grecque. Un bel ensemble plein d'un charme et d'une poésie à découvrir.

La Bastie d'Urfé
42130 Saint-Étienne-le-Molard
à 50 km de Saint-Étienne

VILLE D'ÉPOQUE

Pérouges

AIN

Visiter ce village perché offre un double dépaysement : dans le temps, puisque sa parfaite conservation nous entraîne quatre siècles en arrière ; dans l'espace ensuite, car Pérouges a des allures de petite Toscane, comme un morceau d'Italie qu'on aurait posé au sommet d'une butte de France. L'impression italienne que procure Pérouges est si forte qu'elle a de quoi surprendre. Elle s'explique par l'implantation, avant la conquête romaine, d'une colonie italique venue de Perugia, cœur de l'Ombrie.

En franchissant l'entrée principale de ce village gardé par une double enceinte, on se retrouve devant l'église Sainte-Marie-Madeleine. Avec ses créneaux, ses meurtrières, ses barbacanes, et son chemin de ronde traversant l'édifice par ses voûtes latérales, cette église nous dit combien ce village s'était fortifié pour résister aux pillages et mises à sac, qui étaient monnaie courante pour les bourgs mal défendus. De l'église, il faut prendre la rue du Prince, qui abrite la maison des Princes de Savoie. À moins de choisir la rue des Rondes. Comme son nom l'indique, cette voie effectue un tour complet de la cité, le long du tracé de l'enceinte intérieure. La tour de guet, l'hortulus (jardin médiéval), le grenier à sel, les pavés ronds qui dessinent les rues à double pente, tout vous confirmera l'incroyable état de conservation des éléments architecturaux.

Par une des ruelles partant de la rue des Rondes, rejoignez la place de la Halle, avec son tilleul bicentenaire. Voilà une des plus pittoresques places qui soient. La beauté des maisons qui l'entourent est soulignée par la douceur de la lumière. Sur la place et alentour, voici le manoir de l'Ostellerie du XIIIe siècle, la maison Cazin, et aussi les échoppes de tisserands qui firent la renommée de Pérouges, décorées de pans de bois, à étages et encorbellements. Les demeures seigneuriales (la maison Herriot, ou du Vieux Saint-Georges) marquent la transition avec la Renaissance. Elles présentent de vastes baies en plein cintre, des meneaux moulurés, des linteaux à chevrons. La porte d'En-Bas est une invitation à contempler les monts du Bugey, voire les Alpes lorsque le ciel est dégagé. De Pérouges, on garde le souvenir d'un charme italien que l'histoire a dérobé pour nous l'offrir.

01800 Pérouges
à 50 kilomètres de Lyon

SITE INSOLITE

Musée de l'Insolite

Drôme

En pénétrant dans cette maison bourgeoise de trois étages, d'une petite ville de province, rien ne laisse deviner qu'on entre dans le temple du sexe et de la mort, les deux passions de l'artiste peintre, Max Manent, qu'il a opiniâtrement mariées sur chacune de ses toiles. Voilà des thèmes scabreux dont l'association est osée. Mais il s'agit d'évoquer l'un des rares lieux en France qui abordent d'aussi graves sujets.

Les couloirs du musée sont abondamment ornés, on le devinera, de femmes aux fesses et aux seins largement offerts. Il y a aussi cette collection d'objets érotiques, dont les usages sont clairement explicités par leur forme. Sexes masculins sculptés, bidets à deux places, sexes féminins représentés avec un grand réalisme... Il y a d'autres curiosités, mais laissons le musée vous en faire la surprise. Attention, c'est un humour tempéré de noir que pratique Max Manent, aussi ne faut-il pas trop s'émouvoir de certaines pièces. Telle la chambre mortuaire, au fond de laquelle trône un cercueil ouvragé de corps de femmes, et capitonné de dessous féminins. Selon l'artiste, il faut avant tout voir dans cela un hommage sincère à la beauté féminine. Pourquoi ne pas le croire ?

A7, sortie Loriol
26270 Loriol-sur-Drôme, Grand'Rue

JARDIN FANTASTIQUE

Le jardin des Cinq Sens

HAUTE-SAVOIE

Unique en France, le labyrinthe est un jardin des cinq sens conçu selon l'art des botanistes du Moyen Âge. En Haute-Savoie, blotti entre les hauts murs du village médiéval d'Yvoire, il touche les bords du lac Léman. Dans ses 2 500 mètres carrés, il livre le parfum de ses plantes odorantes, les couleurs de ses fleurs décoratives, sensuelles, curatives, condimentaires...

La visite du jardin est organisée selon un parcours étudié avec précision. Parcourant les allées, le promeneur s'approchera peu à peu de son centre, refuge des tourterelles qui viennent s'abreuver et s'ébrouer au bassin de sa volière, et que nul visiteur n'a le droit de troubler. Pour le reste, le parcours initiatique, savamment élaboré

à son intention, aura largement profité à ses sens. Entre des haies de charmille et d'arbres fruitiers, dans un silence velouté, le jardin du goût offre d'abord la myrtille, la rhubarbe, le cassis. À l'ombre des cognassiers et des pêchers de vigne, le visiteur hume le parfum des roses et des lis. La céphalaire aux feuilles rêches, l'alchémille, la douce euphorbe délivrent elles aussi des bouffées de senteurs délicates. Dans le jardin des couleurs, les yeux sont éblouis par le mélange poétique des iris, de la sauge, de la valériane grecque et du pavot de l'Himalaya. Au détour d'une allée, une pomme au rouge vif scintille comme un rappel du fruit de la connaissance. Tous ces plaisirs sensuels sont apaisés par les charmilles du cloître de verdure tout proche. Traversant ensuite un tissu végétal où s'entrecroisent la folle avoine et la rose aristocratique, on apprend à en percevoir la paradoxale harmonie. Nourrissantes ou calmantes, médicinales ou cultivées pour leur beauté, les cultures du jardin des Cinq Sens nous restituent un univers de plaisirs multiples.

74140 Yvoire
à 20 kilomètres de Thonon-les-Bains

JARDIN FANTASTIQUE

Le jardin de Nous-Deux

RHÔNE

Depuis 1975, Charles Billy, aidé de sa femme, peuple son jardin de fantaisies architecturales : tours vénitiennes, mosquées, palais féodaux, cloîtres gothiques aux colonnades orientales, bâtissant ainsi une gigantesque cité de pierre, qui rappelle les jardins suspendus de Babylone.

À l'entrée, sur la droite, une statue de femme nous dévoile ses cuisses, incitant par ce geste courtois à entrer dans ce jardin aux

pierres d'or. Sur la gauche, une allégorie humoristique nous montre saint Claude accroupi, battu à coups de bâton par une femme. Le ton est donné, Billy a de l'humour. Passé le porche, une fontaine mauresque. Plus loin, un festival de petits castels, de temples hindous, qu'on rejoint par un sentier tortueux. «J'ai beaucoup voyagé, raconte Billy, et ce que vous voyez sont des souvenirs visuels de mes voyages. Il s'agit de reconstitutions imaginaires des monuments qui m'ont impressionné, comme la villa Hadriana à Tivoli, la porte de Sidi-Bou-Saïd en Tunisie. J'ai gravé mon premier lion de pierre en m'inspirant de ceux qui veillent sur le site d'Evora au Portugal.»

A-t-il suivi une formation artistique ? La question le fait sourire, comme tous les artistes spontanés. «Je me situe comme un artisan breton, l'étude des classiques, ce n'est pas mon fort. J'ai d'abord travaillé le bois, et me sentant à l'aise, je me suis mis à la pierre, matériau plus rude. Maintenant je construis mes pièces architecturales en béton, que je recouvre de pierres dorées du Beaujolais...» Il n'hésite pas à incorporer des éclats de verre, de porcelaine, pour décorer les tours de ses châteaux et les toits de ses églises. Une technique originale qui amplifie l'effet baroque. Charles Billy refait le tour du monde à sa manière, donnant vie à ses impressions lointaines. C'est un géographe de l'art, au cœur planétaire.

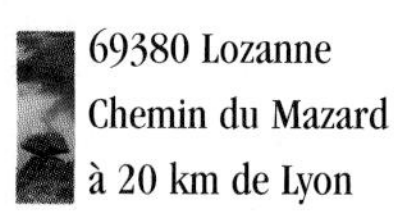

69380 Lozanne
Chemin du Mazard
à 20 km de Lyon

SITE INSOLITE

Le petit musée du Bizarre

ARDÈCHE

Malgré le nom innocent de son créateur, Candide, une odeur de soufre règne dans cette ancienne villa gallo-romaine. Candide, ou Serge Tékielski, y expose des œuvres d'inconnus, objets usuels ou imaginaires, la plupart inspirés de contes et légendes ardéchoises. L'ensemble forme une collection d'art populaire, une sorte d'enclave libertaire des arts, où se rencontrent bricoleurs, peintres, sculpteurs, ferrailleurs, ornemanistes naïfs.

La première salle honore les sculptures rugueuses de Fernand Duplan (1899-1976), un des derniers tailleurs de pierre du Vivarais. Dans les autres salles, une accumulation de cannes de sorciers en peau de serpent, un lit nuptial en noyer bordé de couples enlacés, des statuettes hallucinantes. Les témoignages d'un monde rural disparu, mais dont la vigueur de tempérament est splendidement illustrée ici. La plus spectaculaire des salles est dédiée au peintre et conteur Lattier, où sont exposés ses panneaux écrits et peints. Lattier, ce montreur d'histoires est un héritier des colporteurs médiévaux, qui vivaient de leur talent de raconteur à travers les chemins de France. Les objets, les peintures sont franches, grinçantes, sauvages, humoristiques, possèdent une saveur forte dont nous gardons longtemps le souvenir. Qu'il s'agisse des petites histoires de paysans, ou d'affabulations, de soucoupes volantes aperçues un jour par un agriculteur, les faits divers se mélangent aux grosses farces. Candide est un montreur de curiosités, de choses folles, où se mélangent religion et blasphème, amour charnel et dévotion, terreurs magiques et guérisons miracles.

07170 Villeneuve-de-Berg

Hameau de Bayssac, à 30 km de Montélimar

MONDE SOUTERRAIN

Le gouffre de Padirac

Lot

Dans le Lot, le causse de Gramat déroule ses étendues poussiéreuses et arides. Le soleil du Midi désole les maigres bouquets de chênes qui rompent sa monotonie, à tel point que le dicton affirme qu'ici ne poussent que les pierres. La vie s'est réfugiée dans les couloirs que se sont aménagés les rivières. Mais autour, tout est abandonné à la rocaille sèche. Ce sol calcaire ne sait pas retenir les eaux, qui fendent le sol et s'infiltrent en creusant des puits, des galeries, et au bout de quelques millénaires, des gouffres. Tout le Causse est fissuré, craquelé, par ce ruissellement. L'eau court sous les pieds et compose, à défaut d'irriguer les rares terres cultivables, des féeries souterraines. Mais cela, avant l'arrivée d'Édouard-Alfred Martel, personne n'en savait rien. Personne ne s'aventure dans les crevasses affleurant en surface. Il faudrait être fou, ou damné. Car les habitants de la région y voient une des portes de l'enfer. C'est pourtant par l'un de ces puits, celui de Padirac, qu'un homme, vers 1885, va commencer ce voyage au centre de la terre.

Le géographe Édouard-Alfred Martel sera le premier à y descendre. Car le mérite de Martel ne s'arrête pas à l'exploration du gouffre de Padirac. En s'intéressant à cette faille, que tout le monde redoute, il va sans s'en douter fonder une science nouvelle, la spéléologie, qui consiste à découvrir, explorer et recenser les cavités naturelles du sol. Une activité jugée raisonnable de nos jours, mais qui à l'époque, paraissait bien... suspecte. Martel s'engage donc dans cette cheminée, large de 32 mètres, profonde de 75, que chacun dans la région s'entend à croire maudite. C'est à pied d'abord qu'il avance, à l'aide d'une petite barque ensuite qu'il continue. Car l'eau est souveraine dans ces profondeurs.

D'ailleurs, Martel comprend vite que l'aventure dépasse les forces d'un homme seul. Il fait alors appel à ses collègues de la Société française de géographie pour le seconder. Et plusieurs jours de suite, avec une équipe, il explore les galeries fluviales. Les descentes du groupe d'explorateurs se prolongent sur vingt-cinq, trente heures, et c'est épuisés mais éblouis qu'ils remontent pour faire part de leurs découvertes. Chaque récit augmente la stupéfaction des scientifiques et du public. Par ses dimensions, son architecture, les splendeurs du gouffre provoquent l'émerveillement. Citons les monuments de calcite alignés le long de la rivière, le canyon souterrain, aux profondes voûtes, les Bénitiers, grandes vasques de cristal qui bordent l'avenue Aquatique, la Rivière plane, avec ses biefs glauques, le lac de la Pluie, ainsi appelé parce que du plafond une fine pluie lente et régulière en irise la surface dominée par la Grande Pendeloque, la stalactite la plus longue du monde souterrain (75 mètres). Des merveilles qui, isolées feraient déjà la gloire d'une grotte, mais réunies composent un spectacle dont on a du mal à convenir qu'il résulte des seules forces de la nature. Où cela finit-il ? s'interroge le jeune géologue. Les explorations suivantes lui révèlent d'autres causes d'étonnement. Le grand Dôme par exemple, une coupole de 91 mètres de haut, retenant à mi-hauteur une vasque d'eau enserrée dans un balcon. Et puis un jour, un obstacle s'oppose aux explorateurs, un « gours » obstrue la rivière. En terme géologique, un gours est une murette de calcite qui ferme une voie d'eau. Ils l'appelleront la Grande Barrière. L'aventure rebondit quarante ans plus tard. Le gours sera franchi par un autre spéléologue, Guy de Lavaur, qui relance par son geste l'exploration du gouffre de Padirac. Et de 1899, année de découverte par Martel, à 1962, la longueur explorée de la caverne est plus que quintuplée. Il faut désormais trois jours de barque et de marche pour atteindre la dernière extrémité du gouffre, distante de 10 kilomètres de la surface. À ce point, la caverne se resserre, refuse le passage de l'homme, laissant à l'eau juste assez d'espace pour s'enfoncer sous des voûtes en siphon, dans des goulets qui continuent, nous le supposons, à descendre vers un point inconnu.

Le gouffre de Padirac est désormais l'un des sous-sols les plus profonds de l'Europe. Une partie de son circuit a été aménagée, devenant l'une des plus sensationnelles attractions de ce genre. En sortant du puits, le visiteur peut se demander où vont les eaux de Padirac. Se perdent-elles toutes dans le gouffre qui en termine la portion explorée ? Des recherches ont été menées à ce sujet. Rappelons que le gouffre de Padirac, s'il est le plus vaste, n'est pas un phénomène isolé dans cette région, dont le sous-sol est entièrement travaillé par le forage des eaux. D'autres résurgences sont apparentées au puits de Padirac. Celle de Cabouy, celle de Saint-Sauveur, près de Rocamadour, celle du cirque de Montvalent. Ce qui autorise à voir le sous-sol du causse de Gramat comme un gigantesque réseau de galeries, d'abîmes, de puits, dont nous connaissons quelques-uns : le gouffre de Roque-de-Cor, large de 70 mètres, le gouffre du Réveillon, le gouffre du Saut de la Pucelle.... Un monde qui se laisse deviner, et dont l'exploration est encore à l'ordre du jour.

46500 Padirac
à 50 kilomètres à l'ouest de Souillac

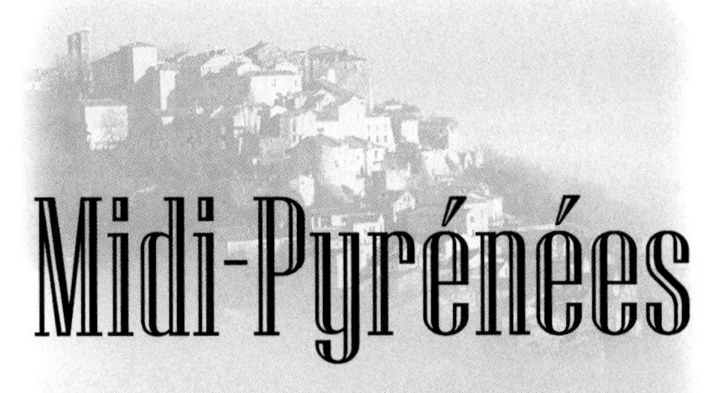

Midi-Pyrénées

VILLE D'ÉPOQUE

Cordes

TARN

Cordes est fondée en 1222, par Raymond VII comte de Toulouse. À cette époque, la guerre des Albigeois fait rage et les populations errantes, chassées de leurs villages dévastés, viennent y trouver refuge. La nouvelle bastide prospère rapidement et devient domaine royal. Vers la fin du XIIIe siècle, Cordes connaît une période de grande fortune : de nombreux bourgeois s'enrichissent dans le négoce et l'industrie du cuir. Pour asseoir leur aisance et l'affirmer aux yeux de tous, ils se font construire de somptueuses maisons. Le XVe siècle marque le déclin de cet âge d'or. Dominant la vallée du Cérou, la ville bénéficie d'une importante fortification avec un flanc en falaise sur sa gauche, et trois enceintes successives protégeant ses quartiers. Si l'architecture désigne la ville de Cordes comme une place forte, son histoire montre qu'il n'en fut rien. En effet, pendant les guerres de Religion, la ville soutient la cause catholique, ce qui lui vaut d'être attaquée et investie par les huguenots par deux fois, en 1568 et 1574. Par la suite, deux épidémies de peste et une terrible disette portent de rudes coups à ses habitants. Il faut attendre 1870 pour que la ville retrouve une partie de son ancienne splendeur, grâce à l'apparition d'une industrie nouvelle : la broderie mécanique. La broderie de Cordes devient fameuse, le succès est fulgurant et bientôt 300 métiers à broder donnent de l'emploi à chacun. Mais les modes changent et, dans les années 1950, Cordes retombe dans l'apathie. Les maisons de style gothique qu'elle abrite lui valent malgré tout une gloire méritée. Construites en pierre de taille, chacune d'elles constitue un chef-d'œuvre de décoration : hauts-reliefs ornés, sculptures de grande inspiration, façades couvertes de bandeaux horizontaux, baies géminées. Ces maisons font aujourd'hui la réputation de la ville et constituent un des plus beaux ensembles d'architecture civile d'Europe.

81170 Cordes-sur-Ciel
à 25 kilomètres au nord-ouest d'Albi

VILLE D'ÉPOQUE

Conques en Rouergue

AVEYRON

Ville-étape du pèlerinage vers Saint-Jacques-de-Compostelle, Conques est célèbre pour son église romane et le trésor exposé dans son ancienne salle capitulaire. Comme à Rocamadour, c'est avec un saint que tout commence, et la ville sera édifiée sur le lieu de retraite d'un ermite du VIIIe siècle, nommé Dadon. À partir du Xe siècle, les pèlerinages apportent puissance et richesse à l'abbaye en construction. Conques jouera ensuite un rôle actif dans la reconquête de l'Espagne sur les musulmans. Mais cette période de splendeur sera de courte durée. Le patrimoine architectural de Conques sera sauvé à partir de 1837, grâce aux interventions de Prosper Mérimée. L'écrivain est alors inspecteur des Monuments historiques. Conques s'étire sur le versant méridional d'un cirque formé par les gorges de l'Ouche, rejoignant la vallée du Dourdou. La ville tient d'ailleurs son nom de sa forme en coquillage (*concha*), visible des hauteurs. Mais aussi des coquillages sculptés dans la pierre des rues et dans le bois des porches, illustrant sa

Ci-dessous : l'un des derniers chapiteaux en date, sur la quatrième pile nord de la nef, est consacré à la condamnation de sainte Foy, victime des persécutions de l'empereur Dioclétien.

vocation de route des pèlerins, toujours empruntée. Au XVIIIe siècle, ses habitants sont moins d'un millier, 630 seulement à la veille de la Révolution et 200 aujourd'hui. Mais toute l'année, ce village du Rouergue semble vivre dans le souvenir de son passé, vieux de plus de mille ans. Ses maisons en schiste forment avec l'abbatiale Sainte-Foy, un ensemble d'une exceptionnelle beauté. Le passé mystique de la ville a laissé beaucoup de témoignages : l'admirable portail de son église figurant le jugement dernier est l'une des réalisations majeures de la sculpture médiévale et la Majesté de sainte Foy, statue reliquaire en bois et en or incrustée de pierreries. Il ne faut pas quitter Conques sans l'admirer de ses hauteurs. La ville ancienne, blottie au creux des collines du Rouergue, offre un spectacle impressionnant. Un panorama inchangé, que traversaient, il y a dix siècles, les pèlerins en route vers Compostelle.

12320 Conques
à 38 kilomètres de Rodez

CIRCUIT EXCEPTIONNEL

Le chemin de Saint-Jacques

PYRÉNÉES-ESPAGNE

Depuis la découverte il y a mille ans, en Galice, des reliques que la tradition considère comme celles de l'apôtre saint Jacques, cette route qui mène de Roncevaux en France, à Compostelle en Espagne, est un haut lieu de l'histoire où, à chaque étape, le réel rejoint la légende. Baptisé Compostella (du latin *campus stella*, champ de l'étoile) l'emplacement sacré devint rapidement un lieu de culte. Les bergers, guidés par une étoile vers le lieu où se trouvaient les restes du saint ouvraient une voie entre la France et l'Espagne. Les deux pays, également en guerre contre l'islam, allaient partager la même dévotion pour le saint, parfois représenté en *matamoros* (littéralement : qui mate les Maures). À vrai dire, les pèlerins devinrent si nombreux que la route reliant les Pyrénées et la Galice allait être appelée le *camino francés* (chemin français). Le culte se propagea à toute l'Europe et les chrétiens d'Angleterre, d'Italie, d'Allemagne et de Scandinavie allaient entreprendre le pèlerinage jusqu'au sanctuaire. À son apogée, certaines années, ce sont des foules de deux millions de personnes qui font le voyage. Il existe deux points de rencontre principaux : le premier est le Somport, le second Roncevaux. Mais c'est Roncevaux qui formait le grand carrefour nord-sud où se retrouvaient les plus grands attroupements avant le départ. Roncevaux, également immortalisé par le combat historique qui s'y déroula lorsque l'armée de Charlemagne fut surprise et massacrée par les Basques. Une tuerie que le poète, dans la *Chanson de Roland*, attribuera aux Sarrasins, conformément aux haines politiques de l'époque.

Pour atteindre la petite chapelle de San Salvador, à Puerto Ibanera, il fallait d'abord franchir la barrière des Pyrénées, l'étape la plus éprouvante du pèlerinage. La chapelle passe pour avoir été bâtie sur la tombe de Roland. Mais les pèlerins la rejoignaient avant tout pour restaurer leurs forces. Ils se réfugiaient alors dans l'hôtellerie voisine, où ils trouvaient le gîte et le couvert gratuits. La troisième phase du pèlerinage commençait à Pampelune-Irunéa, fondée par les Romains et devenue la plus importante cité pyrénéenne. Il y a beaucoup à voir dans Pampelune, le quartier médiéval, la somptueuse façade baroque de l'Ayuntamiento. La fiesta annuelle est aussi un moment haut en couleurs. Durant six jours de juillet, des taureaux sont lâchés dans les rues, prélude à la grande corrida qui clôturera les festivités. Ensuite, sur la route de Puente la Reina, qui doit son nom au pont à six arches du XIe siècle, se trouve la chapelle Santa Maria d'Eunate. Il s'agit d'une copie de l'église du Saint-Sépulcre de Jérusalem. Elle fut bâtie par l'ordre des chevaliers du Temple. Une autre église bâtie par les templiers s'élève à l'extérieur de la ville. La nef gothique de l'Iglesia del Crucifijo abrite une pièce magnifique, un crucifix apporté d'Allemagne à la fin du XIXe siècle.

L'étape suivante est Estella la Bella. Les pèlerins s'y arrêtaient pour vénérer Notre-Dame-de-la-Colline. Le palais roman sur la plaza de San Martin fut bâti par les rois de Navarre au XIIe siècle. Au pied du Montejurra, au sud d'Estella, s'étend un des monuments nationaux de l'Espagne, le Monasterio de Irache, le premier hôpital de pèlerins. À Los Arcos, les stucs, les sculptures et peintures recouvrent littéralement la nef de l'église paroissiale de la Asuncion. La variété de ses styles offre un éclatant aperçu de l'art et de l'architecture espagnole à travers les siècles. Les pèlerins rejoignaient ensuite Logroño, où ils se recueillaient devant une statue de saint Jacques en *matamoros,* placée là pour le remercier de son intervention dans une bataille contre les Maures. Plus loin, Santo Domingo de la Calzada devint un gîte d'étape de premier plan, après qu'un ermite, Domingo, eut voué sa vie à faciliter le voyage des fidèles. Il repose dans la cathédrale de la ville.

Ensuite, c'est Burgos, la ville du Cid, l'un des plus célèbre héros de l'Espagne. Il est entré dans l'histoire et la littérature pour la vaillance avec laquelle il combattit les Sarrasins. C'est d'ailleurs eux qui, par respect pour un tel adversaire, lui donnèrent le titre de Sidi (seigneur), resté sous la forme de Cid. Au sortir de Burgos, un bref détour conduit au monastère de Santo Domingo de Silos, réputé pour son cloître. Un des plus beaux fleurons d'architecture romane se trouve sur la route du pèlerinage. L'église de San Martin, à Fromista, date de 1066, et ses chapiteaux sont une merveille d'élégance. Non loin de Mansilla de las Mulas, cité médiévale située entre Sahagun et León, on peut voir le monastère San Miguel de Escalada. Une église influencée par le style mozarabe, avec ses motifs typiquement maures. Mais il est impossible d'énumérer dans le détail les splendeurs que réservent ces monuments au voyageur.

Le *camino* traverse ensuite Sahagun, une riche cité animée d'une vie intense, et León, avec la basilique San Isidoro, l'un des objectifs majeurs du pèlerinage. La ville compte aussi pour son Panthéon royal des grands d'Espagne, dont les fresques lui valent le titre de « chapelle Sixtine de l'art roman ». Quant à sa cathédrale, le fait est que ses vitraux sont les plus beaux d'Espagne. L'étape suivante est Astorga, avec ses vingt hospices pour pèlerins. Plus loin sur la route à Ponferrada, on croise les ruines du dernier bastion des Templiers en Espagne. On pénètre alors en Galice, dont le luxuriant paysage est presque inchangé depuis le XIIe siècle. Le village d'El Cebrero, près du col de Pedrafita, expose le « Graal de Galice », un calice miraculeux. Dépassée la vallée de Triacastela, on arrive à la dernière étape du *camino*, qui franchit les villages de Samos, Sarria, Puertomarin, Palas de Rey, Melide, Arzua... Enfin, c'est Saint-Jacques-de-Compostelle, la cité pieuse qui abrite le tombeau de saint Jacques, vers lequel aujourd'hui encore des pèlerins continuent, à pied, de se diriger.

VILLE D'ÉPOQUE

Villefranche-de-Conflent

PYRÉNÉES-ORIENTALES

Position militaire vitale, Villefranche doit son existence à l'importance de sa situation stratégique. Fondée en 1092 par Guillaume Raymond, comte de Cerdagne, elle contrôle la vallée de la Têt et ses confluents, le Cady et la Rotja. Au XIIe siècle, les rois d'Aragon favorisent son enrichissement. En 1635, la France et l'Espagne entrent alors en guerre. Les Français assiègent Villefranche qui capitule en huit jours. Le traité des Pyrénées (novembre 1659) donne les comtés de Roussillon et de Cerdagne à la France. Villefranche devient française. Mais dès 1667, les deux pays sont à nouveau en guerre. Ce climat de bataille pèsera lourdement sur l'avenir de la cité. Louvois, ministre de la Guerre envoie ses ingénieurs dans la ville, afin d'en faire la frontière française du Roussillon. Elle gardera son caractère de place forte jusqu'au XIXe siècle.

En 1679, c'est Vauban qui assure le renforcement de la ville, qui sera, à ce titre, longtemps surnommée la porte de la France. Il décrit la ville comme «une petite villotte qui peut contenir 120 feux» (soit 500 personnes environ, un feu étant le foyer d'une habitation familiale). Malgré son importance de premier ordre, la ville ne grandira plus. Au XVIIIe siècle, elle compte à peine 600 habitants et a perdu son commerce (notamment du drap, jadis très florissant). Aujourd'hui, elle protège 300 habitants à l'intérieur de ses enceintes fortifiées, dominées par un fort massif. Depuis les années 1960, Villefranche est l'une des villes qui a le mieux restauré son patrimoine. La trace encore visible de son origine espagnole, le témoignage qu'elle a conservé de l'architecture médiévale du XVIIe siècle, la somptueuse couronne des montagnes pyrénéennes qui l'encadre, en font un lieu remarquable à découvrir.

Villefranche-de-Conflent

PAYSAGE GRANDIOSE

Le cirque de Gavarnie

HAUTES-PYRÉNÉES

Deux pyramides immenses et régulières comme celles de Gizeh en Égypte, mais trente fois plus hautes, flanquent un colossal hémicycle. Dans cet amphithéâtre pour titans, les roches empilées dressent une muraille dont les pieds se plantent dans les prairies et le sommet se perd dans les nuages. Une longue paroi occupe sa partie orientale, tandis qu'à l'ouest, trois gradins verticaux s'emboîtent, simplement séparés par deux balcons de glace : les pics d'Astazou et du Taillon. Au sommet de cette architecture, une frange couronne cette citadelle montagneuse : le pic du Marboré, la Tour, le Casque, le pic Bazillac, coupés de créneaux comme le col de la Cascade, la brèche de Roland et la fausse Brèche. Jaillissant au milieu, la cascade de Gavarnie (la deuxième d'Europe par sa hauteur) précipite dans le vide son panache d'eau qui se vaporise avant de toucher le sol, 421 mètres plus bas. Tout le long des gradins, s'effondrent avec elle les colonnes d'eau de dix puissantes cataractes. Alentour, pour exagérer encore ce monumental paysage, la roche s'incline vers l'est, en plis convulsifs lui faisant comme un drapé antique.

Quel phénomène géologique a bien pu dessiner ce paysage ? Pour les géologues, c'est l'action alternée des glaciers et des eaux souterraines durant les périodes froides et chaudes de l'ère quaternaire. Les glaciers ont raboté la roche et creusé un cirque glaciaire. Lorsque le climat s'est réchauffé, l'eau s'est infiltrée, creusant des gouffres parallèles aux falaises du cirque. À la période glaciaire suivante, le gel a disloqué les cloisons, exagérant la verticalité du site. L'alternance des périodes glaciaires et de réchauffement explique l'immensité du cirque de Gavarnie, ayant subi le lent travail de la nature pendant plusieurs millénaires. À cette action s'ajoutent les cassures du gel saisonnier des périodes intercalaires. Ce serait donc le gel, et non l'épée de Roland qui aurait pratiqué l'entaille haute de 100 mètres, appelée la brèche de

Roland. Un geste décidé par le neveu de Charlemagne pour éviter de laisser son épée aux « Sarrasins » lors de l'embuscade qui lui coûta la vie. Vraie ou fausse, la légende et la grandeur du site attireront Musset, Hugo, Goethe, et bien d'autres, qui y verront un endroit à la mesure de leur inspiration romantique. Les touristes d'aujourd'hui, moins avides de légendes médiévales trouvent à Gavarnie, l'un des derniers îlots où la nature est encore inviolée. Le cirque est en effet partie intégrante du parc national des Pyrénées, et derrière ses crêtes qui suivent la frontière, il s'adosse au parc national espagnol d'Ordesa.

En plus de sa splendeur visuelle, la région est aussi un abri pour une faune et une flore devenues rares. Dans la pinède du cirque on peut voir et respirer le lis martagon, l'orchidée des Pyrénées. Sur les rochers à pic pousse la saxifrage, dite briseuse de roches. Vers les sommets, de petits coussins de fleurs colorent les pierriers ; des plantes de haute altitude, dont les rarissimes androsaces. Sur les banquettes herbeuses qui marquent les étages de la roche, vivent les isards, nom du chamois dans les Pyrénées, et vers les crêtes, les chocards à bec jaune. Ces crêtes marquent la limite du cirque. De ces hauteurs, on voit au nord le tracé de l'Adour se jetant dans l'Atlantique, tandis qu'au loin s'ouvre le bassin de l'Èbre, qui s'écoule vers la Méditerranée. Pour Victor Hugo, comme pour tous ceux qui l'ont vu, le cirque de Gavarnie est le plus formidable Colisée du monde.

SITE HISTORIQUE

Montségur

ARIÈGE

Le siège, puis la prise de Montségur sont les ultimes épisodes de la guerre sainte lancée en 1208 par le pape contre les hérétiques du comté du Languedoc, appelé cathares (les purs) par les albigeois. Vers le XIe siècle, de nombreux courants religieux « hérétiques » vont naître à travers l'Europe, qui remettent en cause la doctrine de l'Église catholique. Le courant cathare est l'un d'eux. Un siècle plus tard, cette croyance a gagné le respect des populations par la démonstration d'austérité des adeptes qui la défendent. Au XIIe siècle, les cathares se constituent en églises indépendantes, des Flandres à l'Italie et de la Rhénanie au Languedoc. Enracinés dans le Sud-Ouest, les albigeois (ou cathares) jouissent de la protection de la noblesse. En 1208, le pape décide finalement d'intervenir militairement. Après avoir excommunié Raymond VI, maître du Languedoc et leur principal protecteur, il lance la croisade contre ses États. Mais la résistance est acharnée. C'est Louis VIII, qui intervient en 1226 avec ses armées royales, qui en aura raison. La guerre ne met pourtant pas fin au catharisme, auquel ne renoncent pas les Languedociens. Dans le comté désormais dirigé par le nouveau roi, Louis IX, une

terrible inquisition poursuit le massacre. Les tribunaux condamnent, les bûchers flambent. C'est insuffisant et l'armée doit reprendre la route du Languedoc. Après des années d'une guerre atroce, la province cède et les derniers résistants cathares se réfugient dans le château de Montségur, en Ariège. Situé sur un piton rocheux, il offre une belle position stratégique aux assiégés. Ils tiendront dix mois. Le 1er mars 1244, ils sont obligés de capituler. Ceux qui se rendent sont contraints de renier le foi et en cas de refus, jetés vifs au brasier. Les derniers attendent le 16 mars, épuisés et affamés, pour capituler.

L'inquisition poursuivra son office jusqu'au XIVe siècle, avant de venir à bout de la foi cathare. Le château est encore debout.

09300 Montségur
à 40 kilomètres au sud-est de Foix

VILLE D'ÉPOQUE

Saint-Guilhem-le-Désert

HÉRAULT

Le val de Gellone est une étendue de montagnes escarpées et arides. C'est dans ce paysage admirable que vint s'installer une communauté monastique, au début du IXe siècle. Les religieux suivaient les traces d'un autre moine venu y trouver la solitude en 780, et qui y avait fondé un ermitage. Connu sous le nom de Guilhem, nous ne savons rien de cet homme qui donnera son nom au monastère et au village, qui se constituera sous sa protection. Devenu lieu de pèlerinage, le prestige de l'abbaye et du monastère profitera au bourg, qui se développera peu à peu. Du Xe au XIIe siècle, les reliques conservées étendent la réputation de ce lieu saint. C'est alors un endroit d'intense passage et de grande ferveur religieuse. Le soleil ardent, la rareté de l'eau, les falaises abruptes de ce coin de l'Hérault exagèrent encore la dévotion des esprits. Mais la prospérité de Saint-Guilhem provoque une fièvre d'un autre genre, qui excite les convoitises. En 1465, une délégation d'abbés commendataires est envoyée par l'Église, pour exiger sa part des importants revenus de l'abbaye. Plus grave, en 1569 les protestants pillent le monastère, ainsi que l'église, et mettent en pièces le tombeau de saint Guilhem. La paix des lieux sera encore troublée par la Révolution française.

En 1783, sur un ordre de réquisition, une filature de coton et un atelier de tannerie sont installés et les pierres du cloître saisies. La plus grande partie des sculpture sera vendue ou dispersée. Au début du XIXe siècle, la population avoisinait les 1 000 habitants, pour décroître jusqu'à 350 aujourd'hui. Malgré les mutilations, l'ensemble abbatial impressionne toujours par sa grandeur et son harmonie. L'un des charmes de Saint-Guilhem-le-Désert réside dans l'enchevêtrement de ses rues, bordées de maisons dont certaines présentent des façades romanes.

34150 Saint-Guilhem-le-Désert
à 40 kilomètres de Montpellier

PAYSAGE GRANDIOSE

La bambouseraie

GARD

Des bambous formant forêt, cela existe en Extrême-Orient, à Ceylan, en Afrique, où les conditions météorologiques favorisent ce genre de plantation. Mais trouver cette futaie sous des cieux méditerranéens, à moins de cinquante kilomètres de Nîmes ? On le doit à Eugène Mazel, qui consacra une partie de sa fortune à cette étrange réalisation. Avec cette forêt de bambous plantée par la volonté d'un nostalgique, on quitte brusquement l'Occitanie, pour entrer dans un paysage de la province du Sichuan.

Ce grand voyageur, de retour de Chine, ne put se résoudre à conserver seulement en mémoire les nombreux séjours qu'il avait effectués en Asie. Il décida d'implanter au pied des Cévennes un peu de ces contrées fréquentées et aimées. Durant l'été 1856, il commença par organiser des travaux destinés à dévier une partie des eaux du Gardon. Cela fait, il importa des plants de bambou, plus de cent cinquante espèces, afin de laisser toutes les chances d'acclimatation aux variétés les plus résistantes. Il commanda également des palmiers de Chine et des kakis du Japon. Ces importations n'étaient pas exceptionnelles à l'époque, mais celles de Mazel prenaient place à une échelle sans précédent. Malgré des conditions climatiques trop tempérées, les bambous réussirent à passer le cap du premier hiver et prirent définitivement racines dans ce coin de France. Désormais, sur quelques dizaines d'hectares, le Languedoc allait abriter un paysage végétal emprunté à la Chine lointaine.

Mais Eugène Mazel ne pouvait s'en suffire. Possédé par le souvenir d'autres voyages effectués dans les Amériques, Mazel voulut mêler une autre lubie aux bambous de Chine, et y introduire toute l'ampleur et la majesté des arbres gigantesques vus aux Amériques : il rêva de séquoias. Était-ce possible ? Habitués au climat doux et humide, supportant mal les étés trop secs ou les printemps avec gelée, les séquoias risquaient de ne pas survivre au climat languedocien. Mazel pensa que la protection des bambous offrait une situation idéale. Il voulut oser et tenter sa fortune dans l'accomplissement de son rêve. Il s'entendit donc avec les autorités de l'époque, pour que la pré-Cévenne de Générargues, canton d'Anduze, reçoive des séquoias.

Les énormes difficultés pour les rapporter de ce pays immense coûtèrent à Mazel la plus grande part de ses biens. De nos jours, quand on traverse la bambouseraie, avec ses lotus et son jardin aquatique, on se représente mal les immenses complications rencontrées, l'argent englouti, l'énergie et la ténacité déployées par son créateur. Les ennuis d'argent insurmontables plongèrent Mazel dans la ruine. Son banquier n'avait jamais partagé ses extravagances de son client. Il l'avait régulièrement prévenu du mauvais état de ses affaires et lui prédisait la faillite. À sa mort, le créancier bancaire devint maître des lieux. Aussitôt animé du désir de louer ces terres, il fit arracher les bambous sur de larges étendues. Le résultat fut exactement contraire aux espérances du banquier. Les bambous exprimèrent une exceptionnelle vivacité et repoussèrent de plus belle, fortifiés par les clairières qu'on ménageait à leur expansion. Les terres furent laissées à l'abandon. Il se trouva alors une famille pour reprendre intelligemment l'exploitation de la bambouseraie. La coupe du bambou procura un bois décoratif très apprécié. Avec cette solide base commerciale, la famille Nègre continua l'œuvre d'Eugène Mazel, respectant le vœu qu'il avait fait d'introduire en Languedoc une parcelle de l'Orient. Les 10 hectares de la bambouseraie ont aujourd'hui une réputation internationale.

Symphonie de lumière et d'odeur, cet océan de verdure réserve à ses visiteurs l'occasion d'une promenade unique.

La Bambouseraie
30140 Anduzes

Provence Alpes Côte dAzur

CIRCUIT EXCEPTIONNEL

La route de la corniche

BOUCHES-DU-RHÔNE, VAR

De Marseille à Menton, la route de la Corniche est tout simplement l'un des plus beaux voyages au monde. C'est avec la cité phocéenne que tout commence. En la quittant, Cassis est le point de départ idéal pour des excursions en bateau vers les calanques qui échancrent le littoral, entre le cap Croisette et le cap Canaille.

De Cassis à La Ciotat, il faut suivre la magnifique route des crêtes, où les falaises les plus hautes de France surplombent la mer. Entre La Ciotat et Toulon, la route traverse trois stations balnéaires : les

Sanary-sur-Mer

Lecques, Bandol et Sanary-sur-Mer, avant de pénétrer dans la péninsule du cap Sicié et d'atteindre la rade de Toulon. Au long du trajet, on a vue sur les vignobles qui produisent les vins de Bandol.

Hyères, qui se trouve à l'est de Toulon, est la plus ancienne station de la côte d'Azur : ses somptueuses villas manifestent la fréquentation de la haute société. C'est aussi une splendide cité médiévale. Au sud se trouve le lagon et les marais salants de la presqu'île de Giens. En quittant Hyères, on se dirige vers le Lavandou, de l'autre côté du cap Bénat. Le Lavandou fut d'abord un petit port de pêche, avant de devenir une autre des stations balnéaires de la Riviera. Le Lavandou marque le début de la corniche des Maures, qui descend jusqu'à la mer. Un ruban de villages côtiers précise le contour de la côte.

En abandonnant la départementale à La Croix-Valmer, une petite route en lacet conduit au col de Collebasse, d'où l'on jouit d'un extraordinaire panorama sur la baie de Cavalaire et les trois îles d'Hyères : Porquerolles, Port-Cros et l'île du Levant, également appelées les îles d'Or, en raison des miroitements de mica sur leurs falaises. Sur la gauche, une petite route mène à Ramatuelle, un vieux village provençal, puis au village perché de Gassin. De l'autre côté du promontoire de Ramatuelle se trouve Saint-Tropez. Un village de plaisance qu'on ne présente plus. Il est vrai que, hors saison, l'endroit est rendu à son vrai caractère, et la qualité de sa lumière a régulièrement attiré l'œil des peintres : Matisse, Bonnard, Dufy, Seurat y sont passés. Ensuite, c'est Port-Grimaud qui se présente, une station bâtie dans les années 1960, à l'imitation des villages de pêcheurs, comme une fausse note sur le trajet, malgré son apparente authenticité.

Après Sainte-Maxime, on rejoint Fréjus. L'une des cités les plus intéressantes de l'itinéraire. Jules César consacra Fréjus marché-étape sur la voie Aurélienne, la route construite par les Romains entre Rome et Arles. Proche de Fréjus, Saint-Raphaël fut aussi un lieu de villégiature à l'époque romaine. À partir de Saint-Raphaël, on peut admirer l'un des plus beaux et sauvages endroits de la route ; la corniche de l'Esterel. D'ici à Napoule, la côte se caractérise par une succession de baies et de criques, de promontoires et de sentiers escarpés, un paysage splendide et inoubliable. Agay est la station suivante. Juste avant de l'atteindre, il faut faire le détour jusqu'au sémaphore du Dramont. De là, on peut admirer le massif des Maures, les îles d'Or visibles dans le lointain, ainsi que le lion de mer et le lion de terre, les deux rochers qui gardent l'entrée du golfe de Fréjus. On aperçoit aussi le mont Vinaigre, le plus haut pic des monts Esterel. Plus loin sur la route, entre Anthéor et le Trayas, cette partie de la corniche offre d'autres panoramas à couper le souffle, notamment sur le golfe de la Napoule. De l'observatoire on a une vue extraordinaire sur les falaises rouges (en porphyre) du cap Roux, du Saint-Pilon et de Saint-Barthélemy.

Deux stations marquent la fin de la corniche d'Or : Théoule-sur-Mer et la Napoule. En face, sur l'autre rive de la baie, Cannes brille de tous ses feux. À droite les îles de Lérins. Elles contrastent avec cette ville médiatisée à outrance. La plus petite des deux, Saint-Honorat, abrite d'ailleurs un monastère. Entre Cannes et Antibes, la route traverse le cap d'Antibes, une péninsule qui sépare Golfe-Juan de la baie des Anges. À son point le plus élevé se dresse le plus puissant phare de la côte. D'Antibes la route côtière nous emporte vers Nice. Mais quelques détours s'imposent. Vers Biot, dressé sur un piton rocheux, riche en souvenirs de son antiquité romaine et de son passé médiéval. Vers Cagnes-sur-Mer, célèbre pour son château musée et la maison où vécut Auguste Renoir : les Collettes. Vers

Saint-Paul-de-Vence, enfoncé dans l'arrière-pays, qui accueillit notamment Chagall et Matisse. Une fois la route reprise, Nice est devant nos yeux, s'étirant le long des flots bleus. Nice la frivole, avec son carnaval et sa décoration Belle Époque et Art déco. À Nice, trois routes se proposent : la Grande Corniche, dite route Napoléon, aux spectaculaires panoramas, la Moyenne Corniche à flanc de montagne, impressionnante, la Basse Corniche, proche de la mer, qui offre Villefranche sur son passage. Un petit port à l'entrée du cap Ferrat, où l'on peut voir les fresques dessinées par Cocteau. Si la Grande Corniche permet de visiter la Turbie et Roquebrune, la Moyenne propose le vieux village d'Èze, perché sur un rocher. Les trois routes se rejoignent en un accord parfait juste avant Menton, ultime étape de la Riviera avant l'Italie. Menton, un songe fixé dans les pierres d'un paradis déroulé le long de la Corniche, considérée à juste titre comme l'un des plus beaux périples routiers parmi ceux qu'offre la planète.

SITE INSOLITE

Le Paradis

VAUCLUSE

Pourquoi ne pas visiter le paradis puisqu'il en existe une réplique ? Investi d'une mission divine, M. Truc l'a installé au pied du Lubéron. Artiste paysagiste, souffrant de la disparition du jardin d'Éden, il l'a replanté selon ses vues. Le résultat évoque un décor de film fantastique ou une cité sacrée. Utilisant des tuiles rouges, il a d'abord couvert une vieille borie (maison-grotte) de ce revêtement. Il en a fait le centre de son paradis. Au fil des années, il a agrandi son jardin, transformant un terrain inhospitalier en une scénographie flamboyante, peuplée de totems rouges. Le porche est surmonté d'une pancarte indiquant sans ambiguïté : Paradis. On emprunte l'allée centrale, dite Allée Compostelle, décorée de coquilles, de somptueux dessins et bordée d'autres piliers totémiques. Une deuxième allée, ornée d'un portique rouge et jaune mène au tombeau de M. Truc. Derrière, une tour-puits compose une sorte d'observatoire haut de 8 mètres, auquel on accède par un escalier aux balustrades décorées elles aussi de fragments de tuiles peintes en jaune. L'inspiré a renoué ici avec les forces souterraines des Empires égyptiens et babyloniens. Plus loin, une chapelle complète le dispositif. C'est un modeste édifice qui évoque à vrai dire une cabine de bain constellée de briques concassées. Dans ce royaume d'avant la faute planent les emportements imaginatifs d'un homme pour qui la perte du jardin primitif semble un regret insupportable.

Avec le jardin de M. Truc, le jardin d'Éden n'est peut-être pas encore retrouvé. Mais ce lieu, par sa cocasserie, l'ambiance que son créateur a su y insuffler, est déjà un avant-goût du paradis : celui de la fantaisie.

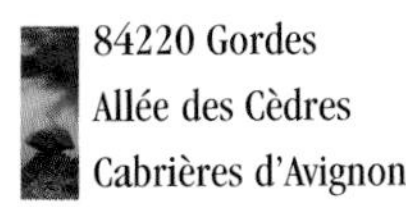

84220 Gordes
Allée des Cèdres
Cabrières d'Avignon

SITE INSOLITE

Tartarin de Tarascon

Bouches-du-Rhône

La ville de Tarascon se situe dans le triangle constitué par Nîmes, Arles et Avignon. Le mot romain *castrum* (château) lui a donné son nom : Tarusco. Cette ancienne colonie commerciale de Marseille est riche d'un beau patrimoine historique, dont le couvent des Cordeliers, construit en 1450, l'hôtel de ville et la porte Condamine, qui date de 1379 (classée monument historique), par laquelle en 1516, François Ier fit son entrée après la bataille de Marignan. Ne pas manquer aussi l'église Sainte-Marthe, dont le portail roman est considéré comme l'un des plus marquants du Midi. Sa crypte renferme les reliques de sainte Marthe, honorée pour avoir terrassé la tarasque. Ce monstre mi-terrestre, mi-aquatique terrorisait les populations. La sainte eut cependant raison de la bête. De ce jour des processions lui furent dédiées. La fête de la Tarasque fut instituée en 1474 par le roi René. Elle se déroule de nos jours le dernier week-end de juin, et en cette occasion les habitants font circuler dans leurs rues un énorme dragon tiré et combattu par les chevaliers de l'ordre de la Tarasque.

Mais le plus beau sujet de fierté de Tarascon reste la maison de Tartarin, ce personnage inoubliable d'Alphonse Daudet, né à Nîmes en 1840, dont il situa la demeure à l'orée de cette riante ville du Midi. Vous découvrirez une charmante maison entourée de plantes exotiques (il y a même un baobab dans son pot de réséda). À l'intérieur, illustrant les aventures imaginées par l'auteur, un chasseur incarnant Tartarin, vous accueillera le fusil sur l'épaule, dans une véritable reconstitution du roman, contant l'histoire de ce héros tout à la fois vantard et menteur, ridicule et attachant, amical et emporté, né en 1872 sous la plume d'Alphonse Daudet.

55, boulevard Itam
13150 Tarascon

SITE INSOLITE

La fontaine de Vaucluse

VAUCLUSE

Située entre Carpentras et Apt, la source de la Sorgue est appelée la fontaine de Vaucluse; son nom vient du latin *Vallis clausa*, qui signifie «la vallée close». En effet, pour l'atteindre, il faut emprunter un court chemin de 400 mètres, qui part de la petite ville de Fontaine-de-Vaucluse et qui aboutit à la fontaine, tapie dans une sorte de bout du monde. Les eaux de la Sorgue jaillissent d'un aplomb pour retomber avec fracas dans une vasque naturelle. Cette irruption d'eau libérée de la roche est tout simplement l'un des plus beaux spectacles du monde naturel. C'est en période de grosses crues qu'il faut voir la fontaine, au printemps et à l'automne, alors que son eau grossit la rivière. Gagnant 15 mètres sur son niveau moyen, la roche expulse alors 150 mètres cubes d'eau à la seconde, dans un flot continu et toujours renouvelé. Le fracas de la chute, que l'écho des murailles répercute et amplifie, ajoute à la majesté sauvage du site et justifie sa réputation.

D'où vient l'eau ? Cette faille rocheuse est à l'extrémité d'un siphon profond d'une centaine de mètres, dont les deux conduits s'enfoncent jusqu'au niveau des couches crétacées inférieures. On estime que la quantité d'eau stockée (dont une partie serait fossile, c'est à dire datant de plusieurs millénaires) dans les profondeurs de la roche avoisine le milliard de mètres cubes. Le bassin d'alimentation court sur 1 200 kilomètres, des monts Vaucluse aux gorges de la Nesque et celles d'Apt. L'exploration de ces abîmes est quasiment impraticable. Il n'a pas encore été possible aux spéléologues de prendre pied dans les aqueducs qui font converger en sous-sols les eaux de la fontaine de Vaucluse. La fontaine, que Pétrarque a chantée, garde donc tout son mystère

SITE INSOLITE

La Vallée des merveilles

Alpes-Maritimes

Située au nord de Nice, dans le parc du Mercantour, cette haute vallée s'étage à 2000 mètres d'altitude depuis le mont Bego. À l'est, le vallon de Fontanalba présente d'accueillants pacages verdoyants entourant les points d'eau et les lacs. À l'ouest sont visibles les sommets du mont du Grand Chapelet (2935 mètres), du mont des Merveilles (2720 mètres), du pic des Merveilles (2659 mètres). Toute cette région sauvage est recouverte de neige pendant une grande partie de l'année et on a peine à croire que les hommes aient pu choisir d'y vivre. Pourtant des indices nous le prouvent. Sur le sol, des renflements de terrain organisés montrent la trace de ce qui étaient les huttes et les enclos destinés au bétail. Dans la terre, des fragments témoignent encore de leur passage : débris de céramique, de métal travaillé, de charbon de bois. Les hommes venaient dans ces hauteurs y camper et chercher le minerai pour produire le cuivre, premier métal connu avec l'or.

La célébrité du site est due avant tout à un exceptionnel ensemble de gravures rupestres. Près de cent mille images muettes ont été recensées. La surface plate, lisse et tendre des schistes roses qui composent la roche a été propice à ces inscriptions. Réalisées par piquetage au moyen d'un outil métallique, elles sont datées du début de l'âge du Bronze, vers 1800 avant J.-C. Remarquées au XVIIe siècle, elles sont depuis régulièrement étudiées. Le travail archéologique rend compte de l'incroyable variété des motifs qui frappent de stupeur le visiteur : poignards et hallebardes, silhouettes humaines, chars et bovidés, motifs abstraits : cercles, ovales, rectangles simples ou quadrillés... La comparaison avec d'autres cultures, avec les mythologies, permet de déchiffrer ces signes énigmatiques.

Les motifs les plus rares, sans doute les plus importants, sont les figurations humaines. L'une des plus célèbres est le « Sorcier », inquiétante face barbue aux deux bras levés brandissant des poignards, face au mont Bego. Une autre, le « Chef de tribu », représente un homme debout, bras écartés, qui porte sur la poitrine une sorte de pectoral représentant une tête de bœuf, et un grand poignard paraît fiché dans sa tête. Une autre silhouette émerge d'un quadrillage ; les bras ondulants sont baissés le long du corps tandis qu'une hache semble plantée dans la grosse tête ronde. Autant de signes gravés à une telle altitude montrent que le lieu était important pour les hommes qui y venaient. Les motifs ne composent pas de scènes, ils paraissent juxtaposés, voire même s'encombrer les uns les autres. Ce qui pourrait correspondre à la longue fréquentation du site par les hommes, chaque génération y gravant à son tour, au risque de perturber le travail de la précédente. La datation scientifique établit en tout cas une fréquentation d'au moins trois siècles.

Il n'y pas actuellement d'interprétation certaine de ces signes. On peut voir dans cette vallée à ciel ouvert comme la réplique inversée des cavernes peintes du néolithique. Aux chasseurs d'animaux occupant les grottes et peignant des corps féminins parmi les animaux qu'ils représentent sur les parois, répondent ces hommes vivant en pleine lumière ne sculptant que des silhouettes masculines. Car il n'y a pas de femmes gravées dans ces hauteurs. Et ce n'est pas un hasard si les armes et les hommes prennent une telle importance dans les motifs sculptés à l'âge du bronze. L'augmentation de la population du continent européen à cette époque multiplie les rivalités pour les sources de nourriture et de richesses, comme le minerai. La vallée des Merveilles devait enflammer la convoitise des villages de la région. Les bovidés sont présents au mont Bego, comme ils l'étaient à Lascaux. L'exaltation de la guerre devait être au centre des préoccupations des artistes.

Parc national du Mercantour
06450 Saint-Martin-Vésubie

PAYSAGE GRANDIOSE

Le golfe de Porto

Corse

Le golfe de Porto ne réalise pas simplement le rapprochement de deux éléments par définition antagonistes : l'eau et la roche. Il ne montre pas comme en Bretagne leurs épousailles furieuses, ou comme sur les bords de la Méditerranée, leur union voluptueuse. Dans le golfe de Porto, l'eau et la roche entrent en collision et sont décidés à toujours s'affronter, et déchiqueter les paysages où se déploie leur furie, composant ainsi le plus beau golfe de Corse. Inséré dans un cadre de hautes montagnes — le Monte Cinto voisin monte à 2710 mètres —, le golfe fait plonger le regard du promeneur le long de 400 mètres de falaises abruptes. La luminosité de la région accentue les effets de contraste qui se jouent entre le rouge soutenu des falaises, le vert du maquis et le bleu translucide des eaux. Le

golfe fait partie d'une zone de roches cristallines primaires, brutalement soulevées lors d'anciens phénomènes géologiques, et, pour cette raison, étonnamment conservée. Alentour, la variété géologique constitue un ensemble d'une grande beauté. La côte de Calanche, située à la gauche du golfe, est constituée de granit alcalin auquel le feldspath donne sa couleur rouge. Les énormes lames de ce dernier ayant traversé le granit fondamental composent une magnifique alternance de couleurs. Le contraste est grand entre ces reliefs acérés et la région d'Osani et du col de la Croix, visible sur le bord droit du golfe, le col étant au contraire le domaine d'un épais maquis de bruyères et d'arbousiers. Au sud-ouest, le granit rouge découpe le granit blanc du massif du Capo d'Orto qui domine Porto.

Comment mieux résumer et décrire ce panorama autrement que par une déclaration enthousiaste : la vue est superbe, et invite à s'engager dans les sentiers, les plus vieux remontant à l'époque de la contrebande. Une marche accompagnée d'un soleil sans ombre, mais que récompense la splendeur de l'intérieur des terres

SITE HISTORIQUE

Filitosa

Corse

Découvert en 1946, le site de Filitosa, en Corse, s'est rapidement imposé comme un lieu majeur pour la connaissance de la fin de l'âge du bronze (1800 à 800 avant J.-C.). Il occupe un plateau sur la côte sud de la Corse et se compose d'un oppidum, entouré d'une enceinte de mégalithes. Environ quatre-vingts statues-menhirs ont été répertoriées dans l'île, dont les plus belles sur le site de Filitosa. Des éléments de construction attestent son occupation par les Torréens, un peuple guerrier qui a édifié, après l'âge du bronze, des bâtiments de pierre, ajoutés à ceux qui s'y trouvaient déjà. Ces édifices sont de solides constructions circulaires ayant servi à des fins religieuses. Le site a livré plusieurs stèles sculptées montrant l'évolution de la statuaire en Corse. Les petits menhirs néolithiques témoignent de la virtuosité toujours plus affirmée des sculpteurs.

La particularité de l'évolution de ces œuvres est l'affirmation soudainement marquée d'un fort caractère guerrier : des armes — épées et poignards — ornent ces guerriers de pierre, et certains sont même coiffés d'un casque. La ressemblance entre les armes des menhirs sculptés et celles représentées sur des bas-reliefs d'Égypte offre l'éventualité d'une possible influence des commerçants-marins de la Méditerranée orientale. Ces débauches de construction, d'un même genre, avec dolmens, menhirs, paraissant surveiller la côte, est caractéristique des îles. On les retrouve en Sardaigne, en Sicile, dans les Baléares, avec une nette concentration dans le sud de la Corse. Ériger ces monuments permettait de marquer la puissance des petites chefferies, en compétition permanente. Religieuses et guerrières, les statues-menhirs de Filitosa constituent, avec le site de Palagghiu, les plus célèbres antiquités « préhistoriques » de la Corse.

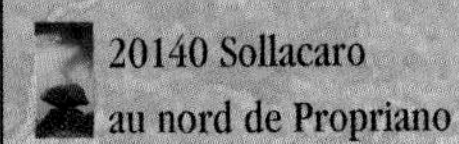

20140 Sollacaro
au nord de Propriano

Crédits photographiques

Les Éditions France Loisirs remercient les offices du tourisme et les particuliers qui ont bien voulu mettre à leur disposition le matériel iconographique qui a été utilisé dans cet ouvrage.
p. 16 : Office du tourisme de Locronan
p. 43-44 : Musée de Nogent-sur-Marne
p. 46,47 : A. Normandin
p. 50,52 : Office du tourisme de Renwez
p. 57 (bas) : Anne Eltzer/Office du tourisme
du Pays de Ribeauville et Riquewihr
p. 57 (haut) : Office du tourisme du Pays de Ribeauville et Riquewihr
p. 68,69 : «Image de Marc»/Conseil général d'Indre-et-Loire
p. 72 : O. Prialnic
p. 74 : Mélusine
p. 77 : C. Bourbonnais
p. 87 Office du tourisme du Puy-en-Velay
p. 88 : Pierre Péchaud
p. 92 : R. Delon
p. 96 : P. Mangon
p. 101 : Yves d'Yvoire
p. 104, 107 : Gouffre de Padirac
p. 108-109 : Pierre Blanc
p. 111 : CEACM-Conques
p. 115, 116, 117 : Office du tourisme de Villefranche-de-Conflent
p. 120, 121 : www.cathares.org
p. 122 : Office du tourisme de Saint-Guilhem-le-Désert
p. 133 : Mairie de Tarascon
p. 134 : Didier Jordan
p. 138, 140 : Office du tourisme de Porto.

Vincent-Pierre Angouillant : pages 3, 8-9, 10, 11, 13, 21, 25, 27, 28, 31, 33, 36, 37, 38, 39, 40, 41, 42, 51, 53, 63, 64-65, 81, 105, 142

Patrick Verdier : pages 73, 91, 123, 127, 128, 130, 139

Collections particulières : pages 4, 24, 34, 55, 58, 59, 62, 64, 70, 75, 79, 80, 82-83, 90, 95, 99, 119, 143

Table des matières

Achevé d'imprimer
en février 2001 sur les presses de
Maury Imprimeur S.A.
N° imprimeur 85352